트럼프 죽이기

-By Yogi (요기) Huh-

Yogi (요기) Huh 는
지난 20 여년간 평범한 직장인이면서 스릴러의 광적인
팬이었다. '20 년을 기점으로 소비자에서 생산자로 변신했고
좋아하는 20 세기형 스릴러를 쓰고 있다.

'트럼프 죽이기'는
그의 일곱 번째 책으로 여성이 주인공인 스릴러 장르의
이야기 두 편을 모았다.

For Sookyung, Jaeyeon,
and the girls

이 소설에는 실제 사건과 인물이 등장합니다. 하지만 재미를 더하기 위한 수단일 뿐 실상(實相)과는 무관합니다. 그 밖에 등장하는 사건이나 인물은 100% 가공된 것이며 명시되지 않은 한, 현실과 유사한 부분은 우연일 뿐입니다.

트럼프 죽이기 (Killing Trump)

바흐무트(Bakhmut)로 가는 길

D-30 분, 플로리다 마라라고(Mar-a-Lago)

그날 그녀는 그 자리에 아주 단순한 일 때문에 있어야 했다.
구체적으로 누구를 만나 무엇을 어떻게 해야 하는 건지
구체적으로는 알지 못했다. 다만, 자신의 '단순한 일'이
누구를 타깃으로 어떻게 귀결되는지에 대해서는 알았고
그것이 그녀가 그 자리에 오기로 결심한 유일한 이유였다.

거울 속에는 165 정도 되어보이는 키, 마른듯한 몸매에
약간 구부정한 여자가 물에 적신 종이타월로 입가와 목
주변을 천천히 닦으며 거울에 비친 화장실 출입문 쪽을
유심히 살피고 있었다. 검은 셔츠, 검은 바지, 그리고 흰
앞치마 차림에, 거의 그 에이프런처럼 창백한 피부의
그녀는 노년의 어귀에 들어선 사람이었지만 한 때는
아름다웠던 흔적들을 가지고 있었다. 합죽해 지긴 했지만
도톰한 입술에, 아직도 압도적으로 높고 매끈한 콧날,
무엇보다 자글자글한 피부 사이에 박혀있는 두 눈은
아몬드와 브라운과 네이비와 분노가 섞여있는 형형한
더티블루(Dirty Blue)였다.

샤흐람이 '정해진 시각에 정해진 장소에 있으면 그가
알아서 찾아올 거'라며 끝까지 접선 대상에 대한 아무런
정보도 주지 않았었기에, 할 수 있는 준비란 접선시간보다
10 분 정도 먼저 들어와 화장실에 다른 사람은 없는지
확인한 후, 문 앞에 '청소 중' 푯말을 세우는 것뿐이었다.
그녀는 자신의 애플워치를 확인했다. 약속시간 정각이었고

거울에서 뒤로 보이는 출입문은 아직 꿈쩍도 안했다. 워치가 감겨있는 손이 살짝 떨렸다. 전월의 폭동에 대해 생각해 봤다. 그리고 그것이 자신을 여기까지 몰고 올 만한 일이었는지도.

평생 사랑해 왔고 또 사랑하고 있는 나라는 뭔가 크게 잘못된 방향으로 가고 있었다. 1983 년에도 또 2021 년에도.

그리고 그녀의 시선이 막 다시 거울로 돌아왔을 때 문이 열렸다.

D-30 일, 워싱턴 DC (Washington DC)

매서운 2 월 꽃샘 추위에 쥐새끼 한마리 없는 포토맥 강변 산책로에서 남녀는 각기 다른 벤치에 앉아 서로 다른 방향을 바라보며 대화하고 있었다.

"내가 과거 무장투쟁에 몸담았던 건 사실이지만 실제로 사람을 해쳐본 적은 없어요. 살인은 말할 것도 없구요. 그가 죽어 마땅한 인간이라는 점엔 의심의 여지가 없지만.."
"따지고 보면 당신의 역할은 그저 전달자에 지나지 않소. 타깃의 음식에 999 를 넣는 건 당신이지만 그게 타깃을 제거하는 효능을 가지도록 하는 건 다른 사람들에 의해 준비되어 온 것 아닙니까? 따지고 보면 타깃에게 일어날 일은 당신 탓이 아닌거죠."

숱이 많지 않은 곱슬머리에 둥그런 배를 벨트 위에 얹은 작은 사내는 어두운 피부색과 대비되는 흰 치아를 드러내며 자신이 요구하려는 것이 아무것도 아니라는 듯 말하고 있었다. 입을 열 때 마다, 박하, 피스타치오, 계피가 섞인 묘한 냄새가 났다. 남자가 누구를 위해 일하는지 그녀는 정확히 알지 못했다. 그가 중동 혹은 남미 사람이고 특이한 억양을 가진 외국인이라는 것, 또 상당히 든든한 물주를 가지고 있다는 것 외엔. 10 년이 다 되어가는 인연이고 몇 차례 몸을 섞은 적까지 있었지만 그가 자신의 정체와 상황을 어떻게 알고 접근했는지 왜 재정적으로 도움을 주는지, 또 크고 작은 '심부름'들을 시키는지는 더욱 알 수 없었다. 묻기 두렵거나 한 건 아니었지만, 왠지 정직한 대답은 기대하기 어려울 것 같았다.

"총 쏜 사람이 아닌 총알이 비난받아야 한다? 이봐요 샤흐람, 난 내 나라를 사랑해요. 지금 당신들과 일하는 것도 진정 이 나라를 사랑하기 때문이에요."
"모디스티 (Modesty), 나도 이 나라를 미워하지 않소. 방금 전에 당신이 당신 입으로 말하지 않았소? 그가 당신이 그토록 사랑하는 이 나라를 위해 죽어야만 한다고."
항변하려다가 그녀는 입을 다물었다. 그의 말이 틀리지 않기 때문이었다. 남자는 여자가 자신에게 설득되었다고 확신한 듯 미소까지 띄우며 용건을 이야기했다.
"이번 달에 플로리다에서 보수 진영 최대 행사인 CPAC (Conservative Political Action Conference)이 열리는데 그가 행사 전날 측근들만 데리고 마라라고(Mar-a-Lago)

사저에서 식사 겸 회의를 한다고 하오. 주방 스태프로 등록되어 있는 당신은 그가 세명의 측근들과 부부동반으로 식사할 소연회장을 맡게 될 거고... 이 추위가 지겹지 않소? 그 곳은 무척 따뜻할 거요"

D-55 일, 아제르바이잔 바쿠(Baku)

“1983 년 의회 폭파 사건의 주범이라.."
“맞습니다, 레자. 미국내 자생 좌파 테러 단체 ‘무장저항단(Armed Resistance Unit)’에 의해 미군의 레바논 군사 개입에 반대해 벌어졌던 사건입니다. 주범 7 명이 있었는데 그 중 6 명은 5 년후 FBI 에 의해 검거되었지만 1 명은 운 좋게 빠져나왔습니다. 그녀는 지난 30 여년간 다양한 반정부단체를 전전하며 살아왔죠. ‘14 년 이스라엘이 가자지구를 폭격해 수천명의 민간인 피해자를 내자 미국내에서도 이스라엘의 만행에 반대하는 시위가 곳곳에서 벌어졌는데 그 때 참여했다가 저에게 포섭되었습니다."

두 남자는 불꽃으로 상징되는 도시의 빛도 닿지 않는 한 이름없는 호텔 방에서 시끄러운 TV 소리 때문에 거의 얼굴을 맞대고 이야기하고 있었다.

“여성이군. 하기사 암호명이 비키니를 입은 제임스 본드 캐릭터라니..후후" 레자라 불린 70 대 사내가 말했다.

"지시하신 프로필에 딱 들어맞지 않습니까? 백인 여성, 개신교, 60 대 공화당 지지자라니.. 타깃 바로 옆에 갈 때까지 그 누구도 의심하지 않을 겁니다."
"지금 어디 있다고 했지?"
샤흐람은 말없이 TV 리모컨을 들어 지금까지 오페라를 보여주고 있었던 유럽의 예술채널을 CNN US 로 돌렸다. 화면 속에는 한 도시에서 시위대와 진압 경찰이 충돌하는 모습, 아니 시가 전에 가까운 폭력 사태가 벌어지고 있었는데 하단 붉은색 바탕에 굵은 흰 글씨로 '미 의회, 폭력 점거'라는 펀치라인이 보였다.
"저.. 저건.."
"트럼프 집권 전부터 모디스티는 '프라우드 보이즈(Proud Boys)'라는 극우단체에 잠입해 활동하고 있었습니다. 그리고 트럼프 대선패배에 반대해 방금 전 DC 에서 시작된 폭력시위에 참가하고 있습니다."

쿠드스(QUDS, 이란혁명수비대 해외정보부) 수장은 부하의 말에 고개를 끄덕였다. 드디어 알라께서 적이 상상도 못하는 방법으로 1 년전 미군 킬러 드론에 의해 암살된 전임자 거셈 솔레이마니 (Qassem Soleimani) 장군의 원수를 갚아주게 될 것이기 때문이었다.

같은 시각, 워싱턴 DC (Washington DC)

모디스티는 먼 발치에서 의사당 쪽으로 집결하고 있는 사람들의 행렬을 보면서 SNS 로 생중계 되고 있는 트럼프의 연설을 듣고 있었다.

"우리는 포기하지 않습니다. 절대 굴복하지 않을 겁니다! (We never give up. We never concede!)"

만약 2021 년이 아니라 1941 년이었다면 연합군의 결사항전을 호소하는 지도자의 말처럼 들렸겠지만 사실상 트럼프가 지지자들에게 두달 전 대선에서 자신을 누른 조 바이든의 의회 비준을 막아달라 호소하는 소리, 선동의 연설이었다.
1983 년처럼 그날도 의사당 건물은 불타고 있었다. 성난 군중의 구호, 간간히 들리는 총성과 비명, 양 극단은 통한다고 했던가? 80 년대에 동지들이 목숨을 걸고 반대했던 이념의 신봉자들에 의해 국회, 아니 미국이 대표하는 민주주의 이념은 또 한번 폭력적으로 도전받고 있었다.

'대체 무엇이 어디서부터 잘못되었던 걸까?'

D-time, 플로리다 마라라고

어디서부터 무엇이 잘못되었는지 그 모든 항목을 나열한다면 그녀 머리 위에 있는 와인잔 만큼이나 많겠지만 스태프들을 다그치는 부주방장의 목소리만큼이나 확실한 한가지 잘못이 있다면 절대로 대통령이 되어서는 안되는 사람을 지도자로 뽑았던 것이었다. 이미 다른 사람이 대통령이 되긴 했지만, 누군가 그의 잘못을 단죄하고 다시 지도자가 될 가능성을 지워야만 했고 그녀는 바로 그 누군가가 되려는 참이었다. 하지만 다른 한편으로는 같은 인간의 목숨을 빼앗는다는 것이 크리스천인 그녀의 믿음에 반하는 것이기에 모디스티는 망설일 수 밖에 없었다.

'개봉 후 10분 내에 타깃이 섭취해야 한다.'

주방은 스태프들로 가득이었고 2월이라는 것이 믿어지지 않을 만큼 후텁지근했지만 그녀는 목 뒤로 서늘함을 느끼며 식은 땀을 흘렸다. 각종 주방기구와 식재료가 가득한 네 개의 5층 선반 사이로, 한꺼번에 삼십인분의 식사를 준비할 수 있도록 스테인리스 조리대 세 개가 있었는데 그녀는 '헤드테이블(Head Table)'이라 쓰여있는 조리대에서 다섯명의 동료들과 작업하고 있었다. 두 명은 조리, 두 명은 재료손질 및 세척, 그리고 그녀와 나머지 하나는 플레이팅 담당이었다.
그녀 앞에는 '트럼프의 웨지(Trump's Wedge)'라 부르는 샐러드가 놓여있었다. 오이, 샐러리, 케일, 피망.. 트럼프가

극혐하는 녹색채소들이 듬뿍 들어가는데 그것들이 보이지 않도록 네가지 치즈를 갈아만든 드라이 드레싱을 잔뜩 얹는 것이 그 요리의 핵심이었고 모디스티는 이미 첫번째 분말스틱을 개봉해서 헤드테이블 8 명이 나눠 먹을 그 샐러드 안에 999 를 섞어 놓은 참이었다.

D+2 분

999 의 전달자는 해당 물질에 피부가 노출되거나 공기를 통해 흡입되었을 때 어떤 일이 생기는지 전혀 설명해 주지 않았다. 실리콘 장갑과 비말방지용 플라스틱 마스크를 착용하긴 했지만 999 에 피부와 호흡기가 노출되고 있을지도 모른다는 생각에 그녀는 온몸에 가려움을 느꼈고 가래침을 뱉고 싶은 충동을 느꼈다. 음식을 담아가려 기다리고 있는 흰색 차이나(china)는 티끌 하나 없이 깨끗했고, 국자와 나이프와 포크들 모두 눈부시게 말끔이 닦여 있었지만, 바쁘게 움직이는 동료들 때문에 그릇과 식기에 반영되는 상이 달라질 때마다, 그녀의 눈엔 999 에서 흘러나온 수백만 마리의 투명한 벌레들이 기어다니는 것처럼 느껴졌다.

D+5 분

그녀가 마무리한 샐러드 접시가 동료에 의해 헤드테이블로 나갔다. 가장 먼저 받는 사람이 트럼프일 것이므로 이변이 없다면 10 분안에 문제없이 섭취하게 될 것이었다. 솔직이

폼페이오(Mike Pompeo), 쥴리아니(Rudi Giuliani),
맥코넬(Mitch McConnell) 같은 사람들에 대해서는
트럼프만큼 알고 있지 못하기에 트럼프와 같이 제거되면
좋지만 그렇지 않더라도 자기들 복이라 생각했고
배우자들의 경우 죽기를 바라는 것도 아니었다. 그냥 남편을
잘못 만났을 뿐이니까.
그 때였다.

"Fucking shit!"

그녀와 연배가 비슷한 헤드테이블 담당 웨이터가
투덜거리며 샐러드 접시 하나를 들고 들어오는 참이었다.
그녀가 왜 그러냐고 물으려던 터에 부주방장이 막 그
접시를 짬처리 하려는 그를 만류하며 말했다.

"엘(L)이 뭔가 준비가 잘못되었다며 돌려보냈지?"라
물었고 웨이터는 고개를 끄덕였다.
엘이란 나치독일에서 히틀러를 칭했던 표현인 '더 리더(The
Leader)'의 첫 글자로 트럼프를 말하는 것이었는데
마라라고에서는 모두가 그를 그렇게 불렀다.
"잠깐만 기다렸다 다시 가져가."
"네?" 자신의 지시에 어리둥절해 하는 웨이터를 딱하다는
눈으로 바라보다가 부주방장은 말했다.
"엘은 말이야 그런 식으로 자신이 이곳의 주인이고 모든
사람의 우두머리라는 걸 보이려 하는 거라고.. 자 이제 다시
가져가 봐."

D+8 분

모디스티는 스톱워치로 설정되어 있는 자신의 애플워치를 힐끗 바라봤다. 만약 아직도 트럼프가 샐러드에 손을 안 댔다면 두번째 분말스틱을 개봉해야 했다. 하지만 어느새 돌아온 웨이터가 그걸 넣어야 할 수프 접시를 이미 내어 가고 있었다.

'어떡하지?'

그녀는 막 자신의 앞을 지나고 있는 웨이터의 뒷발을 살짝 걸었고 그는 채 주방을 나서지도 못한 채 수프 접시와 그 내용물을 모두 바닥에 쏟아버렸다. 부주방장은 고개를 절레절레 저으며 빨리 다시 준비하라고 소리쳤고 모디스티는 마지막 999 를 헤드테이블용 수프냄비 안에 털어넣었다.

D-30 분

거울 안으로 문이 열리고 로로피아나(Loro Piana) 감색 자켓에 이자벨 마랑(Isabel Marant)인 듯한 옅은 하늘색 원피스를 받쳐입은 젊은 아시아계 여자가 들어왔다. 그녀는 조심스럽게 문을 닫고 잠근 뒤 방금 전 모디스티가 했던 것처럼 세 개의 부스가 모두 비었음을 꼼꼼히 살피고 세면대로 다가와 물을 틀었다.

"999 에요. 스틱 하나에 열명에게 적용할 수 있는 투여량이에요. 안정적이지만 타깃이 시간내 섭취하지 않으면 효력이 급속하게 떨어진다는 점 명심하시구요."

단정하고 숱 많은 머리, 안경, 거의 없는 듯 옅은 화장기, 보수적인 복장 밑으로 느껴지는 다부진 몸매. 전형적인 동양계 엘리트 여성이었다. 거울 속 그녀의 왼손 앞에는 유명 프로바이오틱스 브랜드가 찍힌 분말스틱 두 개가 보였다. 마치 그것들이 진짜 유산균인 듯 너무 태연하게 이야기해서 혹시 그녀가 그 스틱들의 정체를 모르는 것은 아닐까 하는 의구심까지 들었다.

"이걸 먹은 사람은 어떻게 되는거죠?" 모디스티의 물음에 상대방은 표정하나 바꾸지 않으며 흰 쥐를 대상으로 한 실험 결과에 대해 설명하듯 답했다.
"섭취 후, 10 분이 경과되는 시점부터 체내의 모든 면역체계가 내장을 공격하고, 15 분이 경과되면 신장, 간, 폐 등 주요 장기에서 출혈이 일어나죠. 초콜릿 분수처럼. 일반적으로 극심한 복통이나 가슴통증을 호소하며 각혈과 동시에 실금을 하기도 해요. 확실한 건 30 분이 되기 전에 심정지가 온다는 거에요. 중요한 건, 부검 시 급성 자가면역질환에 의한 내장 파열로 자연사 판정이 내려질 거라는 점이에요."

자연사라면 사건 자체가 성립되지 않을 것이었고, 아무리 의문스러운 죽음이라 할지라도 바이든이 트럼프의 사망을 유의미하게 조사할 가능성은 없었다. 모디스티는 얼굴을 찌푸렸다. 트럼프는 죽어야만 했지만 자신이 그에게 개인적인 원한이 있거나 한 건 아니었고, 설사 그렇다 하더라도 총이나 칼, 폭탄같은 인도주의적(?) 수단이 나을 것 같았다. 아직 궁금한 게 많은 표정을 한 그녀가 계속해서 이야기하려 하자, 상대방은 서둘러 한마디를 남기고 문으로 향했다.
"하나면 충분하지만 다른 하나는 만일의 경우를 대비한 여유분이에요. 꼭 기억하셔야 돼요. 십분이에요."

D+15 분

스테이크가 나갈 무렵까지 헤드테이블 쪽 출입문이 여닫힐 때마다 들려오는 건 재즈음악과 중년남녀들의 이야기, 웃음소리 뿐이었을 때 모디스티는 뭔가 잘못된 것이 아닌가 불안해지기 시작했다.

"Jesus Fucking Christ!"

이번에는 무전기로 홀의 상황을 보고받던 부주방장이 열받음을 감추지 못하고 소리쳤다. 스태프들의 시선이 집중되었고 그는 스포트라이트를 받은 연극의 주인공처럼 대사를 읊었다.

"음식이 마음에 안 든다고 손도 안댄 채 '도널드 정식(The Donald)'을 주문했다는군. 비밀경호국 요원이 사온대. 아무리 엘이지만 너무한 거 아냐?!"

도널드 정식은 트럼프가 즐겨먹는 메뉴로 케찹범벅의 빅맥 세 개와 갈색 엠앤엠즈만을 제거한 맥플러리를 뜻하는 것이었고 3 마일 가까이 떨어진 맥도날드까지 10 분내에 갔다오기 위해 그 요원은 헬기를 이용해야만 할 것이었다. 무엇보다 작전실패라는 사실은 확인해 볼 것도 없는 일이었다. 모디스티는 곧바로 주차장과 통하는 주방 뒷문을 향해 가기 시작했다. 샤흐람은 '플랜 B 가 있으니 혹시 차질이 생기더라도 돌발행동은 하지 말 것'을 당부했었지만, 부주방장과 스태프들이 아직 식사도 끝나지 않았는데 어디 가느냐고 뒤늦게 물으려 할 때, 그녀는 이미 문 손잡이를 돌리고 있었다.

*

막 마시던 칵테일 한 잔을 끝낸 병인은 상당히 여유로운 표정이었지만 그녀의 내면은 상당히 복잡했다. 계획대로라면 난리가 나야 했을 시각에 너무 조용했기 때문이다.

"한국분이시죠? 제가 한 잔 사도 될까요? 저는 반영민이라고 합니다."

왠지 어울리지 않는 비즈니스 정장 차림의 마른 듯 키가 크고 잘 생겼지만 거칠어 보이는 30대 남자 하나가 다가온 것은 그녀가 막 스마트폰을 조작하여 어디론가 짧은 문자 하나를 보내고 있을 때였다.

“아, 전 이제 일어나야 해서요.”
“이거 아쉬운데요. 아는 사람도 없고 따분해서 죽을 것 같았다가 마침 그 쪽을 보고 어쩜 재미있어질지도 모르겠다고 생각했던 참인데..”
“죄송해요. 하지만 비행기 시간이..”

그녀는 예의 바르게 사과의 미소를 지으며 자켓과 핸드백을 손에 들고 행사장 출입구 쪽을 향했고, 뒤에서 ‘편안한 여행과 인연이 된다면 다시 만나길 기원’하는 남자 쪽으로 얼굴을 돌리지도 않고 고개가 보이지도 않을 만큼 까딱했다. 자신이 좋아하는 스타일도 아니었고 무엇보다 플랜B 발동 전에 그 자리를 떠나야만 했기 때문이다.

*

모디스티가 주차장으로 나와 마라라고로부터 가능한 한 빠른 시간 내에 멀리 벗어나기 위해 자신의 차가 주차되어 있는 쪽을 바라봤을 때였다. 세 사람이 시야에 들어왔다. 약 한 시간 전 자신에게 분말스틱를 전했던 여자는 두 남자 사이에 서 있었는데 누가 봐도 일행은 아닌 듯했다. 여자는 처음에 앞에 있는 남자와 말하다가 뒤에 있는 남자가 말을 걸자 돌아봤고 그 때 모디스티와 눈이 마주쳤다. 소리치기 전에는 들을 수가 없는 거리였고 말할 수도 없는 것 같았지만, 그녀의 경직된 몸짓에서 위기감이 느껴졌다.

*

영민과 같은 컨셉의, 하지만 열 배는 비싸 보이는 비즈니스 정장을 입은 40 대 남자가 앞을 막아섰을 때, 병인은 자신의 렌터카가 세워져 있는 곳을 향해 잰 걸음으로 뛰다시피 걷고 있었다.

"교수님, 어디 가시나요 (Going somewhere, professor?)"

억양 없는 미국 영어를 쓰는 남자의 말에 병인은 두가지를 깨달았다. 상대방이 자신의 정체와 마라라고 방문목적을 알고 있으며, 따라서 상식적인 방법으로는 벗어날 수 없으리라는 것을. 그리고 뒤에서 방금 전에 들었던 목소리가 들렸을 때 두번째 깨달음은 현실이 되었다.

"혹시 제 친구, 제이슨이 교수님을 방해하기라도 하고 있나요?" 영민의 목소리에 그녀는 반사적으로 뒤로 돌았고, 그는 이야기를 계속 했다.
"교수님, 근데 그 분말스틱들은 어디로 간 거죠?"

병인은 분말스틱이라는 말 자체를 처음 듣는다는 듯 결백하기 그지없는 눈빛으로 영민을 물끄러미 바라봤다. 그 때, 약 한시간 전 눈 앞의 남자가 묻고 있는 그 물건들을 전달했던 백인 여자가 멀리서 뒷문을 열고 나오는 것이 그녀의 시야에 들어왔다. 잠시 쉬려는 것처럼 보이진 않았고, 그 이유를 알기에, 병인은 4~5 초 정도 그녀를 응시했다. '이 쪽으로 오지 마!'라는 텔레파시를 쏘며..

*

자신과 차 사이에 세 남녀가 있기에 모디스티에게 직진은 선택지가 아니었다. 그리고 그녀가 어찌할까 몇 초간 망설이고 있을 때, 영민이 병인의 시선이 고정된 그 짧은 순간을 놓치지 않고 고개를 돌렸고 모디스티와 눈이 마주쳤다. 영민이 다시 고개를 돌려 제이슨을 보자, 후자는 모디스티 쪽으로 눈짓했고, 전자는 이제 아예 몸을 돌려 그녀 쪽으로 성큼성큼 걸어오기 시작했다.

다시 돌아서 행사장 입구로 들어가자니 가는 도중 혹은 통과한 직후에 잡힐 것 같았고 설령 남자를 따돌린다고 해도 다시 탈출로를 찾아야 하는데 입구로 다시 돌아가거나 연회장을 거쳐서 주방으로 들어가는 방법 밖에 생각나지 않았다. '어차피 돌아가야 한다면..' 방금 나온 문은 스태프들만 출입이 가능하기에 눈 앞에서 1 초에 10 미터씩 거리를 좁혀오고 있는 남자를 단 몇 분이라도 지연시킬 수 있을 것이었다.

"저기, 잠깐만 기다려 주시죠 (Hey, wait a second.)"라는 한국 억양의 영어를 뒤통수로 느끼면서 모디스티는 문 쾅 닫고 주방으로 돌아갔다.
나이불문하고 통 여자들과 말 섞기 어려운 날이라 생각하며 영민은 방금 모디스티가 다시 들어간 문을 큰소리로 두드리기 시작했다.

*

영민이 간발의 차이로 모디스티를 놓치는 현장을 먼 발치에서 바라보던 병인이 고개를 돌렸을 때, 제이슨은 미안해 하는 미소를 짓고 지으며 턱으로 아래를 가리켰다.
그녀의 시선이 따라가 멈춘 곳에는 글록(Glock) 권총과 함께 그날의 세번째 깨달음이 기다리고 있었다. 총구가 이끄는 곳이 어디든 따라가야 할 것이라는.

*

문을 열고 돌아가자 마자 거대한 부주방장의 몸집이 모디스티의 시야를 완전히 가렸다.

"대체 서빙 중에 어딜 가는 거야? 나까지 당신 자리에 가서 도와야 했잖아!"

그녀는 그의 눈도 바라보지 못하고 깊이 고개 숙이면서 그의 분노가 잦아들길 기다렸다. 생각과 달리 질책은 길지 않았고 모디스티가 옆으로 빠져나와 자신의 조리대로 돌아가려 할 때였다.

“이봐, 이건 가져가야지.”라며 약간 부드러워진 목소리로 부주방장이 뭔가를 건넸다. 받아들자마자, 그 뭔가의 정체를 깨달은 모디스티는 놀라서 고개를 들어 그과 눈을 마주쳤고 후자는 살짝 고개를 끄덕인 뒤 목소리를 완전히 낮춰 속삭였다. “플랜 B 에요, 모디스티. 도망갈 생각은 하지 말아요. 사방에 당신을 지켜보는 눈이 있으니까.”

그는 그녀가 자신에게서 받은 물건을 앞치마 주머니에 쑤셔 넣는 것을 보고 길을 터준 뒤, 소연회장 입구 앞 조리대 쪽으로 이동하는 그녀를 3 미터쯤 뒤에서 따라갔다. 이미 디저트까지 서빙이 끝났는지 동료들은 모여서 수다를 떨고 있었는데 부주방장을 보자 총소리를 들은 새떼처럼 흩어졌고 그와 모디스티는 입구 바로 앞에 섰다. 그녀가 들어왔을 때처럼 부주방장은 그녀와 주방 사람들 사이에 서서 시야를 가렸고 모디스티는 앞치마에서 물건을 꺼냈다. 베레타 밥캣 (Beretta Bobcat). 주머니에 쏙 들어가는 이 소형 권총은 딱 지갑만 한 크기였는데 팁업배럴(Tip-up Barrel)을 열자 한 발이 들어있었고 그녀가 황당하다는 눈빛으로 바라봤을 때, 그는 알았다는 듯 6 발이 들어가는 탄창과 소음기를 바지주머니에서 꺼내 건넸다.

*

마침내 누군가에 의해 주방 뒷문이 열렸을 때 영민의 눈엔 모디스티가 보이지 않았다. 하지만 왼쪽 눈 구석에 소연회장으로 통하는 문을 막고 있는 한 거대한 남자의 뒷모습이 보였고 그는 본능적으로 그 쪽을 향해 천천히 접근해 가기 시작했다. 스태프들은 그의 존재는 물론, 다가가면서 작은 스테인리스 연육망치 하나를 자켓 안으로 숨기는 모습조차 신경 쓰는 것 같지 않았다. 낯선 곳에서 금방 배경에 스며드는 일은 그의 특기 중 일부였다.

*

"방금 폼페이오와 맥코넬이 복통을 호소하며 쓰러지는 바람에 소연회장을 지키던 비밀경호국 요원들이 구급차로 옮기느라 모두 자리를 비웠어. 여자들은 모두 그들을 따라갔고. 지금은 엘과 루디 쥴리아니 둘만 남아 뭔가 이야기하고 있는데 요원들이 돌아오기 전에 빨리 일을 끝내야 해."

부주방장이 말을 마쳤을 때 모디스티는 이미 소음기 장착 및 장전을 완료한 상태였지만 정신적으로는 아직 준비가 안되어 있었다. '죽어 마땅한 인간. 인민들의 머리 속에 끊임없이 미움을 심어 서로 반목하게 하고, 거짓된 정보로 그들을 가스라이팅해서 민주주의를 파괴한 민중의 적. 다시 또 대통령이 된다면 미국을 나치 독일처럼 만들어버릴 파시스트.' 그런 타깃이 한 발짝 밖에 있었다. 하지만 신을 대신해서 그를 단죄한다는 건 분명 두려운 일이었다.

2차대전 이후 냉전을 거치며 세계 민주주의 수호라는 미명하에 제국주의 국가가 된 미국을 바꾸고, 자본주의의 노예가 된 인민들을 해방하기 위한 혁명이 필요하다는 걸 평생 신념으로 삼고 그것을 위해 백번도 더 죽을 수 있다고 맹세했지만 혼자서 소연회장으로 들어가 트럼프를 향해 방아쇠를 당기는 일은, 그도 한 인간이라고 생각하면, 분명 망설여지는 일이었다.

"이미 오래전에 누군가 했어야만 한 일이고, 이 순간 당신 말고는 할 사람이 없어!"

그녀의 주저하는 모습에 참을성에 한계가 왔음에도 차분한, 그러나 단호한 목소리로 말하면서 부주방장은 그녀의 등을 힘차게 떠밀었다.

*

'앗!'

거대한 남자가 갑작스레 움직였을 때 그의 겨드랑이 밑으로 환한 소연회장의 불빛이 들어오며 모디스티의 실루엣이 보였다. 천천히 들어올리는 그녀의 손끝에 뭔가가 있었고 영민의 훈련된 눈에는 소음기가 조명에 반사되는 것까지 보였다. 그녀와 자신의 거리는 10미터, 하지만 그 사이에 부주방장이 있었다.

'적인가 아군인가 민간인인가?'

1초가 안되는 시간에 그는 마음을 정하고 물이 흐르듯 부드럽게 그러나 빠르게 오른 손으로 옷 속에 감춰두었던 망치를 꺼내 들었다.

*

"Excuse me. Who the hell are you?"

트럼프는 모디스티를 보고 소리쳤고 총을 본 줄리아니는 식탁 밑으로 숨었다. 두 사람 사이에는 커피 두 잔과 마닐라 폴더 하나가 있었다.

"양손 모두 테이블 위에 올려놓고 조용히 해. 다시 입 열면 방아쇠를 당길 거야." 조용히 그러나 사해(Dead Sea)처럼 낮고 무겁게 그녀는 말했지만 트럼프는 말을 들을 생각이 전혀 없어 보였다.
"이봐, 왜 그러는지는 모르겠지만 당신은 날 죽일 수 없어. 나를 쏘는 데까지 성공한다고 해도 이 마라라고를 벗어나기 전에 잡히게 될 거야. 모르는 척해 줄 테니 당장 꺼져 줬음 좋겠어. 나 지금 루디랑 아주 중요한 얘기 중이거든." 아직 안 돌아왔는지 아니면 그가 비밀스러운 이야기를 하려 내보냈는지 소연회장 안에 경호국 요원들은 보이지 않았다.

어머니는 자신이 집을 떠난 후 스스로 목숨을 끊었다. 사람들은 그녀가 이스트햄프턴의 저택에서 재벌 남편과

호사를 다 누릴 거라 생각했지만, 또 어느 정도는 그게 사실이었지만, 그녀는 그 집에서 단 한 순간도 행복한 적이 없었다. 그래서 모디스티가 집을 떠났을 때, 이 세상에 있어야 할 유일한 이유가 사라졌을 때, 남편의 사냥총으로 자신의 머리를 쏘아버렸다. 모든 게 아버지 때문이었다. '내가 떠나지 않았다면..' 그녀는 셀 수없이 많이 생각했지만 아버지가 존재하는 한, 그의 지배 하에 있는 한, 결과는 한 사람이 아닌 두 사람의 자살일 것이었다. 어머니와 같이 떠나든가 아니면 아버지를 없애버렸어야 했다. 그 때 어머니를 구하진 못했지만, 어쩌면 지금 다른 사람들을 구할 수는 있을지도 몰랐다. 사랑하는 미국의 인민들.

그녀는 방아쇠를 당겼다.

*

누군가 뒤에서 무릎 바로 아래를 발로 차며 망치로 힘껏 왼쪽 머리를 내려친다면 보통은 무릎을 꿇고 오른 쪽으로 쓰러질 것이다. 하지만 그는 보통 사람이 아니었고 쓰러진 것은 발차기를 위해 몸을 날렸던 영민이었다. 부주방장은 살짝 비틀거리다가 왼쪽 관자놀이 위를 손으로 더듬어 피가 나는지 확인하면서 몸을 돌렸다. 망치를 떨어뜨린 영민은 누운 채로 양 무릎과 상체 명치 윗부분을 세워 발과 팔꿈치로 빠르게 3~5 미터 후진한 뒤 몸을 일으켰다. 완전히 돌아선 후 머리를 흔들며 정신을 차린 부주방장은 주변에서 발견한 중삭도를 치켜 들고 영민을 향해 돌진했다.

처음엔 아예 알아채지도 못하거나 상황판단이 안되어
멍하니 두 사람을 지켜보던 스태프들은 이내 비명을 지르며
사방으로 흩어졌다. 일부는 뒷문을 열고 주차장으로
도망가기도 하고, 다른 사람들은 여기 저기 구석으로
숨었다.
영민은 부주방장이 덮치기 전에 몸을 날려 옆에 있는
조리대 위로 피했고 후자는 관성때문에 전자가 있던 자리를
지나 몇 발짝 앞으로 엎어졌다. 망치에 맞은 여파도 있었다.
영민은 엎어져 있는 그의 뒤에 올라타 무릎으로 등을 누른
채 목을 조르기 시작했다.

*

모디스티가 시키는 대로 식탁 위에 두 손을 올려놓으려
했던지 서서히 밑에서 기어나오려 하던 쥴리아니의 헐벗은
윗머리는 그가 방금 전까지 사용하던 커피 잔이 그녀의
총알에 박살 나자 잡기 게임의 두더지처럼 빠르게 다시
테이블 밑으로 사라졌다.

"참나.. 원하는 게 뭐야? 시간 없으니 빨리 말해."
모디스티가 자신의 의지를 표현했음에도 트럼프는 따분하고
한심하다는 표정으로 말했고 한마디를 덧붙였다.
"For god's sake, Rudy. 좀 기어나오지 못해? 총은
들었지만 주방 아줌마라고!"

트럼프는 천천히 마닐라 폴더를 열고 이내 그 내용물을 미간까지 찡그려가며 읽기 시작했다. 자신이 투명 방탄 버블 안에 있다고 느끼는 듯 알아들을 수 없는 낮은 소리로 뭔가 투덜거리기까지 했다. 모디스티는 첨엔 기가 막혔다가 이내 가슴 속에 차가운 분노가 스며나옴을 느꼈다.

"이봐요, 트럼프씨. 지난달 DC 에서 당신을 대통령 자리에 머물게 하려는 시위로 몇 사람이 죽거나 다쳤는지 알아요? 의회는 불타고.. 당신 그럴만한 가치가 있는 사람인가요?"
"그림자 세력이 가짜 뉴스와 중국 해커들을 동원해 빼앗아 간 표를 되찾게 해 달라고 진정한 미국인, 찐 애국자들에게 호소했을 뿐이야. 보아하니 뉴욕타임즈나 좀 읽고 스티븐 콜베어(Stephen Colbert)쇼 같은 거 맨날 보는 사람 같은데 그런 거 보고 나에 대해 오판(Misjudge)하지 말라고!"

정녕 그는 죽어야 할 인간임에 틀림 없었다. 지금 자신을 무시하고 있기 때문이 아니었다. 네오나치였던 아버지처럼 세상을 존중받아야 할 인류와 그렇지 못한 인류로 나누고 전자의 존엄한 삶을 위해 후자에게 무슨 짓을 해도 된다며 인민들을 호도할 것임에 틀림 없었다.
¼ 유태인 애인이었던 어머니와 실수로 낳은 사생아였던 모디스티는 순수 애국자 족보에 불순물 같은 존재였고 어떤 형태로든 아버지의 인생에서 제거되어야만 했다. 어느덧 방아쇠를 쥐고 있는 그녀의 손가락에 힘이 들어가고 있었다.

'푸슝! 푸슝! 푸슝!'

*

부주방장이 축 늘어지자 영민은 일어나 뒤를 돌아봤다. 이제 소음기를 장착한 아주 작은 권총으로 어딘가를 겨누고 있는 구부정하고 슬림한 실루엣이 눈에 들어왔다. 38 구경이나 9mm 일텐데 만약 소연회장 헤드테이블의 사람들을 겨냥하고 있다면 그렇게 가까운 거리에서 누구든 놓칠 리 없었다. 시간이 없었다.
총구 끝에 있는 사람이 대통령이라 해도, 특히 트럼프라면, 영민이 그를 위해 목숨을 걸 이유는 없었다. 하지만 머리보다 몸이 빠르게 상황에 반응하고 있었고 영민은 두 걸음 만에 모디스티의 바로 뒤에 자리를 잡았다. 그녀의 손, 아니 총 끝에 있는 낯익은 오렌지 머리의 노인은 혼자 태평하게 문서를 읽고 있었다. '어떤 상황인지 모르는 건가? 분명 두 사람이 이야기 나누는 걸 들은 것 같은데..' 과연 자신의 보호가 필요하기는 한 건지 불명확했지만 무장 안 한 민간인을 향해 곧 총구가 불을 뿜을 듯했기에 가만히 있을 수는 없었다.

*

두 개의 손이 총을 들고 있는 오른 쪽 겨드랑이 밑과 왼쪽 목 옆으로 순식간에 들어와 하나는 총든 손을 잡고 다른 하나는 목을 조르기 시작하자, 모디스티의 총구는 천장을 향해 세 발을 뱉어냈다. 영민은 그 자세 그대로 주방 쪽으로 뒷걸음질 쳤고 모디스티는 몸의 균형을 잃고 상체를 그에게 맡긴 채 질질 끌려가면서 남은 총알을 모두 천장에 쏴 댔다. 코로는 화약과 음식과 영민의 땀 냄새가, 귀로는 스태프들의 비명과 도망가는 소리, 멀리서 소연회장 문이 열리며 들어온 비밀경호국 요원들의 고함과 구둣발 소리가 들어왔지만, 눈에서는 연회장의 천장 조명, 거치대의 흔들리는 와인잔들의 이미지가, 인민 해방의 꿈, 아버지에 대한 복수심과 같이 어둠에 밀려 나가고 있었다.

“쏘지 말아요. 범인은 기절했소. (Don’t shoot! She passed out.)”

조심스레 모디스티를 내려 놓은 영민은 두 손을 들고 천천히 무릎을 꿇었다. 두 명의 요원들이 총을 앞세우고 다가와 하나는 의식이 없는 그녀의 총기를 회수한 뒤 결박하고, 다른 하나는 영민의 등 뒤로 수갑을 채웠다. 그는 순응하면서 주위를 둘러봤고 그녀의 머리 쪽으로 발을 두고 엎드려 있을 줄 알았던 부주방장이 사라진 걸 깨달았다.

에필로그

사건 직후, 병인은 제이슨으로부터 '리처드 앤더슨'이라는 자에게 인수인계 되었고 창문 없는 밴 트럭과 오줌 냄새가 나는 후드때문에 자신이 어디로 끌려 가는지 알 길이 없었지만 플로리다보다 더 더워지는 것으로 보아, CIA 가 심문을 위해 아랍 테러리스트들을 감금하는 기트모(Gitmo, Guantanamo Bay Detention Camp)로 가고 있음을 확신했다. 문제는 제이슨과 달리 리처드는 CIA 가 아니라는 점이었다.

'21 년 11 월에 대선출마를 시사했던 트럼프는 2 년 뒤 백악관 기밀문건 유출 혐의로 검찰에 기소되었다. 그가 그 날 펼쳤던 마닐라 폴더도 FBI 요원들이 마라라고 압수수색에서 찾고자 하는 증거물 중 하나였다. 하지만 사법부가 압박의 강도를 높일수록 그는 이상하게 감옥과 동시에 백악관과도 가까워지고 있었다.

'21 년 12 월, 이전에 비해 체중을 40 킬로그램 이상 감량하고 대중 앞에 나타난 마이크 폼페이오는 대선에 대한 야망을 그 어느 때보다 불태웠다. 하지만 그 감량이 권좌를 건강하게 오래 누리기 위한 노력의 결과가 아니라 사실 치명적인 999 와 싸우느라 대장을 거의 모두 절제한 결과라는 사실을 아는 사람들은 없었다. 이후 그는 결국 대권도전 의사가 없음을 선언했다.

비슷한 시기에 영민은 제이슨으로부터 의뢰 받은 작전을 수행하기 위해 카자흐스탄으로 떠났다. 임무의 내용과 작전의 타깃은 몰랐지만 수행 과정에서 아내를 죽인 범인을 만날 수 있다는 것이 그가 수락한 유일한 이유였다. 이후 그가 카자흐 국경으로부터 누군가를 에스코트해 우즈벡 타슈켄트 미대사관으로 들어갔다는 사실은 극소수의 관련자들에게만 알려졌다.
'22.8 이란혁명수비대 소속 샤흐람 푸르사피는 미 연방법원에 불구속 기소되었다. 트럼프의 재선 가능성을 접하면서, 레자는 미국에 복수하기 위해 과연 그를 제거하는 것이 맞는지 고민 중이다.

'23.8 뉴 잉글랜드 한 연방 감옥

교도소 정문 앞에서 모디스티는 자유의 공기를 크게 들이마셨다. 샤흐람을 FBI 에 넘긴 댓가이기도 했지만 트럼프가 미국의 암이라고 생각하는 사람들의 보이지 않는 도움으로 지은 죄에 비해 턱도 없이 낮은 형량을 받았던 것이다.
마중나올 사람이 아무도 없기에 그녀는 나오지도 않을 버스정류장을 향해 정처없이 걸었다. 10 분 정도 지났나? 히치하이킹을 하기로 마음 먹었을 때 였다. 어디서 나타났는지도 모르는 회색 GMC 픽업트럭이 그녀 앞에 섰다.

"태워드릴까?"

어둡게 선팅된 조수석 창문이 반쯤 내려간 사이로 부주방장의 얼굴이 보였다. 망치에 맞아 함몰된 두개골을 가리기 위해 눌러 쓴 빨간 스포츠캡에는 크고 흰 글씨로 ‘TRUMP’, 그 밑에 작은 글씨로 ‘MAKE AMERICA GREAT AGAIN’이라고 쓰여 있었다. 그는 그녀의 표정을 읽고 애써 부드러운 목소리로 달래듯 말하며 문을 열었다.

“이봐요, 모디스티. 큰 길까지 20 마일이고 곧 해가 저물어요. 당신을 해칠 생각 따윈 없소. 가면서 그냥 이야기나 좀 합시다.”

하지만 모디스티의 시야엔 대시보드 밑 휴대폰 충전패드 위에 아무렇게나 놓여있는 글록이 들어왔다. 그날처럼 부주방장은 자신에게 다른 선택의 여지를 주지 않을 것이었다.

*

GMC 트럭 1Km 뒤로 한 대의 검은색 서브어반(Suburban) SUV 가 서 있었고, 차내에는 세 명의 사내가 타고 있었다. 모두 말끔한 정장차림인 그들은 제리코(Jericho) 권총으로 무장하고 있었고 트렁크에는 세벌의 케블러 조끼, 갈릴 (Galil) 경기관총 두 정과 베넬리(Bernelli) 샷건 한 정도 있었다.

"(.여자가 탔습니다) היא נכנסה"

운전석이 망원경을 내리며 말하자 조수석 뒷좌석이 지시했다.

"(.트럭을 따라가게) עקוב אחרי המשאית"

영어도 한국어도 페르시아어도 아닌 언어를 쓰는 자들이 타고 있는 SUV는 픽업트럭을 따라가며 거리를 500미터 정도로 좁힌 뒤 유지하기 시작했다.

트럼프 죽이기 (Killing Trump)

바흐무트(Bakhmut)로 가는 길

1 부] 매니와 케니 (Mannie and Kenny)

'23 년 2 월

'그녀는 어디에 있는 걸까?'
생각에 잠겨 있는데 갑자기 뒤통수에 인기척이 느껴져
화들짝 놀라 뒤를 돌아 보았다. 아무 것도 없었다. 그리고
다시 고개를 앞으로 돌렸을 때는 무언가가 미영에게 동만이
어딘가에 갔다가 돌아오는 것이 아니라 영원히 가버린
거라고 말하고 있었다.

*

세 시간 전

"동만 선생님, 환자분 기다리시는데요."
미영은 대기실에 앉아있는 70 대 여성의 눈치를 보며 5 분간
다양한 방법으로 연락을 시도하다가 급기야 동만의 사무실
문을 두드리기 시작한 참이었다. 그녀가 3 년동안 단 한번도
환자와의 약속에 늦는 걸 본 적이 없었기에 이상한
일이라고 생각했다. 심동만. 현재 일하고 있는 S 병원에서의
10 년을 포함하여 20 년 가까이되는 경력의 임상심리
전문가였고 그녀를 부르고 있는 현미영은 3 년째 그녀와
일하고 있는 수련생이었다. 결국 손잡이를 돌려봤는데 문이
그냥 스르르 열려버렸고 그 뒤로 깔끔히 정리된 책상이
보였다.

'이상하다.'

책상 뿐 아니라 각종 서류부터 잡다한 문구류들까지 함부로 나와 돌아다니는 것 없이 모두 완벽하게 수납되어 있고 화초 이파리들 위까지 먼지 한 톨 없이 닦여 있는 것이 사무실은 동만이 아닌, 아예 새로운 주인을 기다리기 시작한 느낌이었기 때문이다. 뭔가 잘못되었다는 생각이 든 미영은 환자에게 양해를 구하고 실장의 방으로 달려갔다. 그녀는 막 출근한 참이었다.

"그래요? 참 이상한 일이네. 다른 연락처는 시도해 봤나요?"

휴대폰은 이미 미영이 수차례 시도해 봤던 터였으므로 실장은 집으로 전화를 걸었다. 하지만 역시 답이 없었다. 두 사람 모두 동만이 지난 몇 년간 불면에 시달려왔고 그래서 수면제를 처방 받아 주기적으로 사용하고 있음을 알고 있기에 어쩌면 동만이 약을 먹고 잘 일어나지 못하고 있을지도 모른다고 생각했다. 예약환자들에게 상담사의 갑작스런 개인 사정을 이유로 날짜를 바꾸거나 다른 상담사를 배정해 주고 나니 9시반이 넘었다. 그리고 10시가 넘자 두 사람은 슬슬 걱정이 되기 시작했다. 실장은 동만의 전 남편에게 전화를 걸었지만 그는 그녀와 마지막으로 통화한 게 몇년전인지 기억도 나지 않는다며 냉랭한 반응을 보였다. 두 아들과도 통화를 했는데 서울에서 대학에 다니고 있는 그들 역시 동만과 거의 연락이 없는 것 같았다.

그 때부터 실장과 미영은 P 시에 있는, S 병원을 포함한, 모든 병원 응급실과 파출소에 전화를 걸어 동만을 찾았지만 헛수고였고, 결국 실장은 병원 보안팀에 연락했다.
보안팀장은 우선 전날 CCTV 녹화본을 검토했다. 그리고 화면에는 저녁 8 시경 사무실을 나서는 동만의 모습이 잡혔다. 그 시각 임상심리실의 다른 직원들은 병원 부근 중국집에서 회식 중이었기에 아무도 그 상황을 몰랐다.
동만은 내성적인 타입으로 모임을 그 닥 즐기지 않았고 실장은 자신보다도 예닐곱살 연상인 그녀가 회식에 잘 나오지 않는 걸 눈감아주고 있던 참이었다. 병원 외부 카메라에 포착된 영상에서는 그녀가 지난 10 년간 그래왔듯 폐선 철로를 공원화 한 산책로를 따라 집 쪽으로 걸어가는 모습이 포착되었다.

"미영 쌤, 동만 쌤 집에 가본 적 있어?"
"아니요." 미영은 자신이 그녀를 막내이모처럼 따랐음에도 집조차 가본 적이 없었음을 깨달으며 씁쓸하게 답했고 실장은 그럼 지금 찾아가 봐 달라며 주소를 알려줬다.
후자는 정식으로 P 시 남구 경찰서에 신고하고 있었다.

병원에서 산책로를 따라 30 분 정도, 차로 10 분 정도 거리에 있는 동만의 집은 지어진 지 얼마 되지 않는 새 아파트였다. 서울에서 300 Km 이상 남쪽인 P 시는

겨울에도 좀처럼 기온이 영하로 떨어지지 않는 따뜻한
곳이었지만 그 날 따라 춥고 바람 불고 우중충했다.
아파트 현관에서 동만의 집 호수를 누르고 호출했지만
당연하게도 반응은 없었다. 이제 미영은 차라리 동만이 집에
없었으면 하는 마음이 들었다. 만약 그렇지 않다면 수면제
과다복용으로 인한 의식불명에서부터 강도와 같은 범죄의
피해까지 무척 불유쾌한 가능성이 펼쳐지기 때문이었다.
결국 미영은 '경비실'을 누르고 '호출'을 눌렀고 의외로
아무런 질문없이 1 층 출입문은 열렸다.
동만의 집은 17 층에 있었다. 미영은 그녀의 문 앞에서
초인종을 여러 번 눌렀고 역시나 답은 없었다. 그냥
돌아갈까 하다가 무언가에 홀린 듯 도어락 해제를 시도하기
시작했다. 생년월일, 입사일, '000000*'… 체념하고
돌아서려다 문득 뒤통수를 때리는 한가지 생각에 미영
자신의 휴대폰 번호와 '#'를 눌렀고 거짓말처럼 문이
열렸다.

'혹시 뭔가 흉한 걸 보게 되는 건 아닐까?'

미영은 실체 없는 두려움에 몸을 떨며 현관에 발을
들여놓고 구두를 벗었다. 눈 앞은 거실이었고 창 앞으로
가자 밖에는 P 시의 전경이 펼쳐져 있었다. 뒤를 돌아보니
왼편으로는 작은 식탁과 부엌, 오른편으로는 입구가 현관을
향해 있는 침실이 있었다. 몇시간 전 사무실에서와
마찬가지로 물컵 하나 함부로 돌아다니는 물건 없고,

바닥과 모든 가구들이 물광이라도 내기 위해 반복적으로 닦인 듯 반들반들했다.

그녀는 동만의 시체라도 발견하게 되는 건 아닌지 불길함을 느끼며 침실문을 열었다. 하지만 아무도 잔 적이 없는 듯 완벽하게 정리된 더블베드를 제외하면 빈 공간만 덩그러니 미영을 기다리고 있었다.

'그녀는 어디에 있는 걸까?'

'21 년 2 월

나는 외롭고 아프고 고프고 또 마렵다.

난 스틸씨병(Still's Disease) 환자다. 처음엔 피부병인줄 알았고 좀 지나선 간염이라 생각했다. 30 대 초반부터 발열에 온몸 통증, 흉한 붉은 색 발진이 있었는데 서울의 5 대 종합병원에서 진단결과가 다 달랐다. 이름조차 생소한 스틸씨병임을 알게 된 것은 P 시에 와서 같은 문제로 고통받다가 우울증을 앓고 있는 환자를 알게 되면서 였다. 내 몸의 면역세포가 나를 공격하여 생긴다는 이 병은 사람에 따라서는 18~35 세 사이에 발병하여 일정기간 후 자연치유되는 경우도 있다는데 내 경우엔 불규칙하게 3~5 주, 때로는 8 주, 또 때로는 1 주에 며칠씩 증상이 나타나는 기간이 이미 15 년을 넘어 이제 일상이 되었다.

통증과 발열과 홍반과 간기능 저하의 주기가 점점 짧아져 가는 듯하다.

지금도 이틀째 일도 못하고 이렇게 집에 누워있다. 이렇게 통증이 심한 게 흔한 일은 아닌데 일단 상황이 이렇게 되면 주변에 사람이 없다는 게 병을 더 악화시키는 것 같다. 전화 한 통 할 사람도 걸어줄 사람도 없다. 사실 내 삶에 이렇게 큰 구멍이 느껴졌던 건 5년전 남편과 아이들이 떠나기 훨씬 전부터였다. 어쩌면 그래서 그들이 떠난 건지도..
사실 어떤 게 먼저였는지 모르겠다.

내 삶이 싫은 건 아니다. 일터로 가는 산책 길, 편 여사와 이야기 나누는 일, 미영과 맛집 찾아다니기.. 내가 좋아하는 일상들도 꽤 있다. 하지만 통증 때문일까? 이대로 머문다면 삶은 매순간 조금씩 나빠지기만 할 것이 뻔하다는 생각이 든다.

주변에서 일부러라도 사람들을 좀 만나보라고 한다.
그러면서 또 누군가 소개를 해주거나 하는 건 아니다. 같이 교회에 가자고 하는 건 이미 질렸다. 동료들이 싫은 건 아니지만 일과후에 오랜 시간을 어울릴 만큼 좋은 것도 아니다. 특히 회식은 끔찍하게 지루하다. 간혹 개인적인 만남을 기대하는 환자들도 있고 또 내가 어느 정도 감정을 느끼지 않는 것도 아닌데 선뜻 나서지는 않는다. 아무래도 연민을 호감으로 착각하는 것 같기 때문이다. 내가 환자한테, 또 그가 나한테.

때때로 P 시는 나같은 사람들에게 최악의 도시라는 생각을 한다. 10 년전 이곳에서 일하기로 결심했을 때는 안정감과 한가함이 좋았지만 이젠 가끔 지긋지긋하다. 백만명 이상이 살 수 있는 인프라를 갖추고 있지만 채 오십만명의 이해관계도 충족시키지 못하는 이 도시에는 만도 있고 곶도 있고 해변도, 산도, 계곡도 있지만 그 어디에도 마음을 나눌 이성의 동족은 없다.

차라리 미영 쌤이 추천하는 그 데이팅 앱이란 거나 한번 해볼까.. 최근 꽤 심각하게 고민해 보고 있었는데, 이렇게 당장 내일 죽을 것 같이 아픈 밤이야 말로 고민을 행동으로 옮길 바로 그 시각이 아닐까?

앱의 존재에 대해서는 상당히 오래전부터 알고 있었다. 한 때 내 환자들의 상당수가 온라인 만남으로 인한 문제로 내 방문을 두드렸었기 때문인데, 프로필을 작성할 때 드는 열등감과 자괴감, 상대방을 만났을 때의 실망감, 관계가 형성된 후 드러나는 여러가지 사실에 따른 배신감. 대체 이 사람들은 왜 그렇지 않아도 힘든 삶을 스스로 지옥으로 만들어 가는거지 하면서 의아했었는데 이젠 그 빌어먹을 앱이야 말로 나에게 유일하게 남겨진 선택지가 아닌가 하는 생각이 든다.

‘세렌디피티 (serendipity.)’

앱을 설치하는 것이 자위기구를 사는 일처럼 부끄럽고 망설여진다. 어쩌면 노골적으로 발정난 남녀들이 서로의 욕구를 충족하기 위해 활용하는 플랫폼에 운명적인 로맨스를 암시하는 이름을 지어 붙인 것도 역설적이고. 하지만 전 세계적으로 수억 명이 이용하는 앱이라니 이왕 21 세기 문명의 신세를 질 바에야 성공의 확률을 높이는 게 맞다는 생각이 든다.

프로필 등록하는데 시간이 오래 걸린다. 그냥 나를 있는 그대로 드러내볼까도 생각해 봤지만 역시 너무 위험하다. 우선, 수억 명 회원 중에 한국인들도 꽤 있을 거고 그 안에 우리 병원 사람들도 몇몇 끼어 있을 것이므로. 특히 원무과의 ㅇ과장이라면.. 으~~ 너무 싫다.
우선 나이에서 10 을 빼고 키에는 그만큼 더한다. 몸무게에선 다시 그만큼을 뺀다. 직업은 의사, 취미는 그냥 사실대로 밀덕이라 쓸까? 반백살이 다된 아줌마가, 다른 여자들은 인스타에서 연예인이나 인플루언서들을 팔로우하면서 럭셔리 라이프스타일을 탐구할 때 '플래툰(Platoon)'같은 잡지를 모으고 '존윅(John Wick)' 시리즈에 열광하며, 국방 TV 의 다큐나 '히콕 45(Hickok45)'의 동영상을 탐닉한다는 게 뭐 나 자신은 괜찮다고 생각하지만 상대방은 어떨까? 더욱이 언젠가 내가 총을 좋아하는 이유를 설명해야 하는 상황이 되면 더 곤란해질 수도 있다.
'군인이었던 아빠를 사랑했기에 항상 그 세계를 동경해 왔고 좋아하는 콘텐츠도 '가짜사나이', '강철부대' 또 게임도 '레인보우식스', '콜오브듀티'같은 것만 한다. 시간만 나면 실탄 사격장에 간다' 또는 좀더 철학적으로 '세상에 자신의 생존을 위해 적을 향해 총을 쏘는 것보다 철저하게 위선이 배제된 행위가 어디 있겠는가?' 따위의 이야기를 하면 한껏 올라왔던 로맨틱한 감정이 사그라들 것임에 틀림없다. 역시 서핑이 낫겠다. 집에서 차로 한시간 거리에 있는 해변에 나가면 제법 찬바람이 부는 계절에도 꾸준히 파도를 타는 남녀들이 있다. 그들을 보면서 때때로 작은 서핑보드에 몸을 맡기고 집채만 한 파도에 맞서 그 보드 위에서 분연히 일어나는 내 모습을 상상하곤 한다. 그래 나라도 선탠의자에서 노안으로 잘 안보여 얼굴을 찌푸리며 총(gun) 사진을 탐닉하는 허여멀건 뚱뗑이보다는 서핑보드 위 구릿빛 비키니녀를 택할 거야.

재정상태는 연수입 십억. 잘 나가는 신경정신과 전문의란 그런 거니까. 이제 거의 다 완성했는데 사진이 문제다. 이젠 한국의 연예인들도 외국에 많이 알려져 배우나 가수의 이미지를 사용하는 건 위험하다. 내 이십년전 사진? ㄴㄴ 아니야 아니고 말고. 그러다가 아이디어가 떠오른다. 그리고 스마트폰에서 얼마전 병원 앞 산책로에서 쌤들과 같이 찍은 사진을 찾는다. 조심스럽게 손가락을 놀려 미영 쌤의 이미지만을 복사한다. 타이트한 청바지에 짙은 회색 터틀넥 스웨터를 가운 밑에 받쳐입은 그녀의 모습은 적당히 자연스럽고, 의도한 나이보다 다소 어리긴 하지만, 방금 전까지 내가 작성한 프로필에 가깝다. 대화명은 SD

Mann 이다. 내 이름이면서도 내 이름같이 보이지 않는다. 살짝 웃음이 난다.

어느새 내가 아프다는 걸 잊고 있다.

완성하고 나니 벌써 자정이 넘었다. 기분 좋은 피로감과 함께 얼마나 많은 사람들이 반응을 보일지 벌써부터 기대가 된다.

*

아침에 눈을 뜨자마자 휴대폰의 모니터를 눈앞에 갖다 댔다가 멀찌감치 거리를 둔다. 노안이 온지 이미 10 년 가까이 되는데 아직도 뭔가 안보이면 습관적으로 가까이 가져온다. 읽어야 할 메시지가 50 통이 넘는다. 어제까지는 관절 통증과 발열이 내가 살아있다는 증거였는데 이젠 전 세계에서 나와 이야기를 나누고 싶어하는 남녀 50 명이 있다는 것이 그 자리를 대신한다. 난 일어나지도 않고 누운 채로 메시지들을 읽는다. “Hello, there?”, “Can I see more pictures, please? You know, more private ones.”, “오늘 밤에 같이 산책하실래요?”... 너무 긴 글들은 그냥 무시한다. 뭔가 단체에 가입하라거나 말도 안되는 증권을 사라고 하거나 아무튼 보나마나 사기치는 글들이다. 대체 어떤 바보같은 인간들이 그런 글들을 읽고 혹한단 말인가? 21 세기에.

짧은 글들만 한번 주욱 봤는데 벌써 출근 시간 30분 전. 난 얼굴에 물칠도 못하고 어제 입었던 옷을 그대로 걸치고 뛰어나간다. 난 임상심리상담사실 최고령이고 다른 쌤들에게 모범을 보여야 한다. 그리고 환자들이 기다린다.

오전 일과가 지나고 나니 50통이 더 와 있다. 하나같이 나에게 수작들을 걸고 있다. 나 이런… 대학교 3학년때 친구들의 꾐에 빠져 홍대 앞 클럽에 갔을 때 이래 25년만 아닌가. 난 그 때처럼 도도한 표정으로 메시지와 프로필 사진을 하나씩 열어본다. 인종과 연령대는 다양하지만 하나같이 잘생긴 남녀들이 자신 있는 표정들을 짓고 있다. 두 세명 정도는 이미 아는 얼굴이다. 이드리스 엘바 (Idris Elba) - 양심도 없이 세계에서 가장 섹시한 남성의 사진을 떡하니 자기 프로필에 걸어 놓다니.. 로버트 러들럼 (Robert Ludlum) - 아마 지적인 남자한테 환상이 있는 여자들에게 어필하려 했던 모양인데 본(Bourne) 시리즈 팬인 나한테는 어림도 없다. 더욱이 이미 돌아가신 분을.

“선생님, 뭐 재밌는 거라도 보시는 거에요? 같이 좀 봐요.”

난 화들짝 놀라 전화기를 엎어 놓고 그 위를 두 손으로 가린다. 내 당황한 기색이 꽤 재미있는지 그녀의 웃음보가 터진다. 자기 사진이 얼마나 인기있는지 알고서도 그렇게 웃을 수 있을까? 나도 그녀를 따라 웃는다.

"고딩동창 톡방인데 왜 그 있잖아. 수십명이 떼거리로 있는… 매일 할매톡이 수십 개씩 뜨는데 가끔 꽤 재밌는 것도 있어."

"그래요? 내용이 뭔데요?"

"음담패설. 미영 쌤같은 미성년자가 듣기엔 넘 망측해."

"선생님도 참 … 제가 무슨?"

미영은 내게는 막내동생같은 수련생이고 그녀도 나를 제법 잘 따른다. 그리고 어제 자정부로 사이버 공간에서 나를 잘 이끌어주기 시작했다.

*

일주일동안 수십명의 남자들과 온라인 대화를 나눴다. 한국에 있는 예닐곱명에게는 내 진짜 사진도 보여줬고 심지어 한두명은 P 시 부근에 있는 다른 도시에서 만나기도 했다. 문제는 내가 호감을 느꼈던 남자들이 하나같이 내가 생각했던 그 사람이 아니었다는 것. 뭐 결혼생활도 이십여년 해본 나지만…잊어버린 걸까 아님 '이번엔 다를거야'라 여전히 기대하고 있는 걸까. 아니면 설렘 자체에 한이 맺혔던 걸까? 한 명을 제외하곤 모두 완전 거짓이거나 좀 지나치게 부풀려진 프로필을 올린 무척 실망스러운 개인들이었다. 단 한 명 진실된 프로필을 올렸던, 그러니까 이혼경력이 있는 오십 대의 서울 사는 수의사는 맘에 들었는데 만남 후 상대방이 연락을 끊어버렸다. 실망이란 나만의 특권은 아니니까.

역시 온라인 상의, 온라인에서 비롯된 연애란 배드 아이디어였던 것 같다.

'21년 4월

1~2주 데이팅앱은 커녕 아예 SNS 자체를 들여다보지 않고 지내다가 다시 세렌디피티를 열게 되었던 것은 물러갔던 통증이 돌아올 무렵이었다. 거의 수백개의 플러팅(Flirting) 메시지를 걷어내다가 한 이미지를 발견했고 거기서 눈을 뗄 수가 없었다. 마치 첫 눈에 반한 것처럼.

험비(Humvee)라고 부르는, 지붕에 대포만 한 총을 이고 있는, 커다란 군용 지프차 앞에 두 명의 백인과 두 명의 흑인, 그리고 한 명의 현지인이 포즈를 잡고 있다. 내게 말을 건 남자는 자신이 그 중 누구인지 아직 이야기하지 않고 있고, 사실 난 그걸 굳이 너무 빨리 알고 싶지도 않다. 왜냐하면 그 다섯 명 중에 내 맘에 꼭 드는 사람이 하나 있기 때문이다. 무표정하게 뚫어질 듯 카메라를 응시하고 있는 그는 그 네 명 중에 가장 키가 큰 데 '씰팀(Seal Team)'에 나오는 클레이 스펜서(Clay Spencer)를 많이 닮았다. 더부룩한 수염이 소년적인 미모를 가리지 못하고 전투복과 방탄조끼가 근육질의 몸매를 가리지 못한다. 후각으로는 땀과 보급용 싸구려 스킨로션과 화약과 먼지 냄새가 모니터를 뚫고 들어오고, 청각으로는 그의 텍스트를 통해 클레이의 지적이고 유약하며 강인하고 격정적인 목소리가 들려온다. 하오체로 말이다.

> 안녕, 거기? 반갑소. 오랜 동안 적이나 전우가 아닌, 또 가족이 아닌 누군가와 이야기하고 싶었소. 당신이 거기 있어 고맙구려.

칫, 내가 누군줄 알고? 하면서도 설레는 맘으로 난 답신을 적어본다.

>> 안녕하세요? 저야 말로 당신을 기다려 왔어요. 이 앱의 세상에 들어와서 앱의 이름과 같은 일을 기대하며 참 많은 시간을 보냈는데 이제서야 당신이 오셨네요.

얼마나 기다려야 답글을 받을 수 있을까? 하지만 곧장 울리는 알림에 앉은 자리에서 펄쩍 뛰며 놀란다.

> 난 보시다시피 군인이오. 집을 떠나 온지 꽤 오랜 시간이 지났소.
>> 고향이 그립지 않나요?
> 음, 잘 모르겠소. 주기적으로 미국의 본대로 복귀해서 정비와 재훈련의 시간을 가지긴 하는데 그럴 때면 어느덧 다시 전장으로 돌려 보내주길 바라고 있다오. 좋은 건지 모르겠소. 전장이야 말로 나같은 군인이 있어야 할 자리는 맞지만 인간 켄우드 브로튼 (Kenwood Broughton)으로써

다른 어떤 곳에도 있을 수 없어 자꾸만 이렇게 돌아온다는 건 왠지 좀 비극적이오. 아, 케니(kenny)라고 불러줘요.
>> 이름이 근사하네요. 무슨 유럽의 귀족 이름같아요. 전 에스디 만(SD Mann)이라고 하는데 친구들은 '만'이라고 불러요.
> 흐음.. 예쁜 이름을 가졌소. 이국적이오. 한국에 '만'씨가 있는 줄 몰랐소.

나는 혼자 실소한다. 누구라도 내 영어 이름을 보면 케니처럼 반응할 수 밖에 없을 것이다. 아주 잠깐동안 성은 '심'이라고 설명해 볼까 하다가 이내 그만둔다. 살면서 남들이 나를 뭐라 부르는지에 대해 그 닥 신경 쓰는 편 아니다. 누가 부르느냐가 중요한거지. 따지고 보면 '동만'이라는 이름이 어느 나라 말로 부르 건 예쁘게 들릴 것 같지도 않고.
그의 한국어는 기대하기 어렵기에 내가 영어로 말한다. 번역기를 동원하면 상당히 그럴 듯한 문장들을 구사할 수 있다. 영어 안된다고 대한민국 언어교육 탓하면 안된다. 이렇게 필요하니까 대학원 합쳐서 12 년 배운 영어를 20 여년만에 제대로 꺼내어 쓰게 된다.
난 케니처럼 간단하게 내 일에 대해서 먼저 설명한다. 내 취미에 대해서도 이야기 해 준다. 파도타기라고 말이다.

>> 시즌이 되면 매일 아침 일찍 서핑보드를 가지고 해변으로 나가요. 한 시간. 저녁에 퇴근하고도 가요. 또 한

시간. 적어도 하루에 두 시간은 그렇게 아무 생각없이 파도를 타요.

> 난 와이오밍 출신이라 군에 와서 바다를 처음 봤다오. 스무 살이 넘어서. 믿어지오? 그리고 지금까지 십여년간 바다는 즐기기 위한 장소라기 보다 일터에 가까웠으니… 어쨌든 멋진 것 같소, 서핑이 하루의 일부라는 것.

>> 당신도 취미 같은 게 있어요? 24 시간 긴장 속에 살 수는 없잖아요.

> 그렇군. 생각해 본 적이 없는 것 같소. 작전 나가고 훈련하고 가끔 문서작업, 그러고는 그냥 멍하게 있는 것 같아. 와이오밍은 한없이 한적한 곳이었소. 해 있는 동안은 일하고 어두워지면 자고… 그러다가 잠이 안 올 때면 현관 데크에 있는 벤치에 앉아 하염없이 앞을 바라봤지. 모르긴 몰라도 만은 도시에서 자랐겠지? 그렇게 앞만 바라보고 있어도 뭔가 계속 변화가 있었을 거요. 불도 깜빡깜빡, 차와 사람들도 왔다갔다. 근데 와이오밍 우리집 앞은 바람이라도 불지 않으면 일주일동안 바라보고 있어도 아무런 변화가 없었소. 딱히 싫은 건 아니었소. 아버지처럼 그렇게 농부로 평생을 살라면 살 수도 있었을 것 같은데, 정작 부모님이 그 생활에서 벗어나고 싶어했소. 무척 절박하게. 온 가족이 빠져나오지 못할 거라면 나 혼자라도 다르게 살기를 바랬소. 질문이 뭐였지? 내가 무슨 소릴 하고 있는거지? ㅎ

>> 계속 얘기해봐요. 현관 데크에 멍하니 앉아있는 당신 모습을 상상해 보고 있는 중이에요.

어둠을 응시하는 클레이 스펜서. 우수에 찬 눈빛에 특유의 권태로운 표정. 그 뒤에서 현관문을 한 뼘 정도 열고 '자기 추운데 어서 들어와요. 우리 자요.'라고 말하며 유혹적으로 그를 바라보는 내 모습을 상상해 본다.

> 슈링크(Shrink, 정신과 의사)에게 이렇게 많이
이야기하는 건 처음이오. 부대에서 좀 힘든 작전을 나갔다 오면 필수적으로 PTSD 상담치료를 받게 하는데, 친절한 여사님한테 좀 미안한 노릇이긴 하지만, 상담 시작하고 채 5분도 지나지 않아 그냥 건성건성 괜찮다고 나 언제 가도 되냐고 하며 지루해 하는 편이거든.

'여사님'이라는 무례한 표현에 약간 열 받지만 아무말 하지 않는다. 난 매력적인 37세 싱글 정신과 의사니까. 서핑보드 위에 있어야 할 배는 하늘을 향하고 있고 등은 침대 위에 있다.

*

> P 시는 밤이겠구려. 저녁은 먹었소?
>> 그럼요.
> 한국에서는 밥을 먹지? 당신이 뭘 먹었는지 이야기해
줘도 내가 잘 이해 못할 것 같소.
>> 그래도 얘기해 볼래요.

난 내가 저녁으로 먹은 음식들을 줄줄 읊는다. 약간의 MSG를 보태서. 사실상 쿠팡이츠로 주문해 먹은 회덮밥을 내가 직접 잡은 생선으로 요리한 'Sashimi with rice'로 바꾸니 제법 그럴 듯하다. 사진도 보내준다. 얼마전 '미식가의 집'이라는 방어횟집에서 찍은 버전으로.

> 난 그 닥 생선을 즐기지는 않소. 아니 정확하게 이야기하면 어떻게 먹는지 조차 잘 몰라.
>> 난 아주 좋아해요. 바닷가인 P시에 사는 이유 중 하나죠.

케니에게 물고기 먹는 법을 가르쳐 주고 싶다. 작은 집이지만 깨끗하게 정리한다. 식탁 위엔 '미식가의 집'에서 주문한 10만원짜리 특회 세트가 세팅되어 있다. 그리고 소주와 맥주. 그가 소맥을 먹어본 적이 있을까? 초인종 소리가 들린다. 난 이미 단정하게 빗은 단발 머리를 한번 더 만지고 나서 문을 향해 간다. 문을 열면서 '아차, 앞치마를 안 벗었네!' 깨닫지만 이미 때는 늦었다. 케니가 서 있다. 클레이 스펜서의 이미지이다. 청바지에 흰색 라운드넥 티셔츠, 그리고 감색 자켓을 입은 그는 노랑과 보라가 섞인 꽃다발과 와인 한 병을 들고 있다. 케니는 웃는 얼굴로 뭔가 말하는데 난 너무 긴장해서 그의 이야기가 귀에 들어오지 않는다. 얼굴에 열이 오르는 게 느껴진다. 터질 듯 붉어진 내 귓볼이 보일 듯하다. 들어온 그가 집을 한바퀴 둘러보고 P시의 야경을 내려다 보는 동안 난 앞치마를 벗은 뒤 소맥을 치우고 와인과 꽃을 세팅한다.

또 그가 뭔가를 말한다. 또 내 귀엔 아무것도 들어오지 않는다. 집이 아늑하고 좋다든가 야경이 예쁘다든가 하는 이야기들일 것 같다. 내 눈에 그의 목이 들어오는 걸 보니 그의 눈엔 내 정수리가 들어올 것 같다. 부끄럽다. 케니와 나는 자리에 앉아 수저를 든다. 그는 젓가락질이 서툴다. 일부러 포크 따위 놓지 않은 나는 회를 한 점 집어 와사비 간장에 찍은 뒤 그의 입에 넣어준다. 왠지 그의 얼굴도 살짝 붉어진다. 와사비가 너무 많이 들어갔을까 아니면 진도가 너무 빠른 건가? 그렇게 한두 점 먹고 난 뒤 그는 와인을 오픈한다. 병을 쥔 그의 팔뚝이 열두갈래로 갈라지고 두 개의 굵은 힘줄이 돋는다. 얼굴에 오른 열이 내리질 않는다. 나에게 발열은 항상 통증에 따르는 것이었는데 이렇게 열나는 게 좋은 느낌이긴 처음이다. 건배하고 한잔씩 마시고 난 장난으로 와사비를 살짝 많이 묻혀 또 한 점을 그의 입에 넣는다. 처음엔 남자답게 참다가 얼굴을 찌푸리고 기침하고 급기야 와인 한 잔을 원샷하는 그를 보며 나는 모처럼 소리내 웃는다. 그도 나를 보며 따라 웃는다. 그러다 동시에 웃음이 멈춘다. 나는 그의 앞으로 다가서서 입고 있던 원피스의 등 지퍼를 스스로 내린다. 날개처럼 가벼운 옷이지만 떨어져 바닥에 부딪치는 진동이 심장까지 울린다. 첨부터 브래지어는 없었고 남은 레이스 팬티는 그가 내린다. 나를 번쩍 들어 침실로, 아까부터 일부러 문을 열어놓고 나지막하게 조명을 켜 놓은 그 방으로 데려갈 줄 알았는데 벌거벗은 내 앞에 무릎을 꿇는다. 누군가를 집으로 초대해 밥을 먹인다는 건 이미 나의 우위를 과시하는 행위였는데 그는 심지어 나에게 지배당하고 싶다는 제스츄어를 보여준다. 그가 내 아래에서 입을 맞추는 동안 나는 두 손을 그의 숱 많은 머리 속에 넣고 천천히 움직인다. 눈을 감았다 떠서 그의 정수리를 바라본다. 그가 나를 맛보고 있다.

> 만, 거기 있는 거요?
>> 아 잠깐 전화가 와서
> 정찰 나가오. 또 기별할 테니 잘 계시오.
>> IED (Improvised Explosive Device, 급조폭발물) 조심해요.
> ㅎ 별 걸 다 아시는구려.
>> 여.. 영화나 뉴스에 많이 나오잖아요.

젠장, 난 왜 그에게 굳이 IED 에 대해 이야기하고 싶었던 걸까? 사실 그의 험비가 공격 당하는 일이 일상다반사도 아닐 뿐더러 나에게 그가 다치는 일이 아주 실질적인 두려움이지도 않은데 난 그냥 그들의 세계에서 사용하는 말을 써서 그와 조금이라도 더 공감대를 가져보고 싶었던 것 같다.

*

내 삶이 달라질 수도 있지 않을까? 심지어 매순간 아주 조금씩이라도 나아지게 될 수 있지 않을까? 케니에게 내 일상을 이야기하고 또 그의 일상을 들어주고 있노라면 그런 생각이 든다. 그와의 대화 내용을 읽고 또 읽는다. 그리고 다음 대화를 기다린다. 그에 대해 상상한다. 처음엔 클레이의 이미지가 지배적이었는데 이젠 그렇지도 않다. 적지 않은 대화를 통해 그를 알아갈수록 클레이에 비해 좀더 강인하고 현실적이면서도 또한 여리다는 걸 깨닫는다. 물론 그의 실체는 아직 미스테리이다. 하지만 아직 모든 걸 너무 빨리 알고 싶진 않다. 그에 대해 상상하고 그와 대화하는 걸 기다리는 것만으로도 이렇게 신이 나는데 그의 모든 걸 너무 일찍 알아버리면 왠지 그 신남이 사라져 버릴 것 같아 두렵다. 발정난 십대가 아니므로 그 역시 나랑 비슷하리라고 믿는다.

‘21 년 5 월

언젠가부터 그는 나를 매니(Mannie)라고 부른다. 그리고 언젠가부터 나는 그녀를 질투한다. 물론 케니를 상상하며 난 항상 행복하지만 케니는 누굴 상상할까 생각하면 죽여버리고 싶을 만큼 그녀가 부럽다. 물론 그녀가 나이므로 난 케니의 욕망 속에서 살 수 있긴 하다.

환자 중에 나이든 포르노 중독자들이 몇몇 있었는데 그들과 이야기하면서 ‘정말 저들에게 도움이 필요한 걸까’하는 의문을 속으로 여러 번 제기했었다. 어렸을 때는 다양한 사회적 물리적 제약때문에 성의 세계를 실제 경험할 수 없어 소비하는 것이 포르노라면 4, 50 대가 넘어서의 포르노는 진정 욕구를 해소해줄 수 있는 게 옆에 누워있는 배우자가 아니라 화면 속에 있는 남녀들과, 무엇보다,

그들과 함께 있는 자신들에 대한 상상 뿐인 것은 아닐까? 케니에게 매니가 포르노 배우와 다를 것은 무얼까?

> 한국은 서핑시즌인가?

>> 아직 좀 이르지만 날씨가 괜찮으면 가끔 나가요.

> 내가 보고 있는 사진보다는 약간 더 그을은 당신이 하얀 비키니를 입고 바다로 나가는 상상을 해본다오. 그것 만으로 상당히 해갈이 돼. 여기는 바위와 추위와 바람 뿐인 곳이라 항상 가뭄을 뒤집어쓰고 다니는 것 같은 느낌이거든.

>> ㅎㅎ 지금 비키니를 입었다간 물에 들어가 보지도 못할거에요. 그리고 나 사는 곳에서는 삼십대 후반의 여자가 비키니, 더구나 하얀색은 잘 안 입어요. 더욱이 환자와 마주치기라도 하면…; 하지만 생각은 한번 해 볼께요. 당신이 원하신다면. 아니 까짓 거 그냥 입어버리죠. 처음이 문제지 두번째 세번째 들어갈 때는 아마 더이상 추운 것도 모를 것 같아요. 그 얇은 비키니 위로 내 몸을 때리는 물결을 당신의 손길이라 생각하면 가슴이 따뜻해 질 것 같기도 하구요.

> 날 위해 꼭 입어주오. 그리고 당신을 덮치는 파도가 나라고 생각해주오. 당신을 으스러지게 껴안으려 하는 나라고 말이오. 당신 몸 구석구석을 나로 흠뻑 적셔주오.

>> 당신을 생각하며 서핑보드 위에 엎드려 바다를 향해 손으로 노저어 가노라면 허리 아래가 안에서 부터 따뜻하고 촉촉해 질 것 같아요. 파도타기라는 행위, 전에는 사나운 세상과 맞서 싸우는 거였는데 당신의 품에 안기는 거였군요.

나는, 아니 매니는 점점 세상을 다른 시각으로 바라보게 된다. 혼자서 벽치기 테니스를 하다가 갑자기 그 벽이 허물어지면서 뒤에 있던 케니가 나오고 그녀가 치는 공을 다 받아 준다. 후자가 간혹 나쁜 공을 줘도 전자가 그걸 예쁘게 포핸드 스트로크나 스매싱을 할 수 있는 위치로 받아 준다. 때리면 돌아오고 쳐내면 또 되쳐진다. 그렇게 끝도 없이 돌아오는데 그걸 또 그렇게 계속 기다리게 된다.

*

며칠간 눈코뜰새 없이 바쁘다가 모처럼 환자가 없어 한가한 오후다. 난 사무실 문을 닫고 케니의 메시지를 찾아 하나씩 음미하며 읽는다.

> 막사에서 개인화기 정비를 하다가 무료해서 나왔소. 매니는 무얼하고 있을까 생각하니 지루함이 싹 가셔. 점심 먹고 나른해서 졸고 있을까? 아님 골치 아픈 환자와 상대하느라 머리를 쥐어뜯고 있을까?
> TV 에서 그리는 파병 미군들을 보면서 당신은 무슨 생각을 할까? 요즈음은 그래도 드라마가 상당히 리얼해서 나같은 병사들의 삶을 꽤 디테일 하게 보여주긴 하지만 여전히 내 지루함을 이해하긴 힘들 거요. 그 끝에 누군가의 생명을 빼앗는 일이 있다고 해도 그조차 기다리게 만들 정도의 지루함.
> 당신이 바로바로 답 해주면 좋겠지만 지금같이 당신을 생각하며 나 혼자 떠드는 것도 그리 나쁘지만은 않소.

당신에 대해 생각하는 게 즐거워. 어쩌면 내가 하루 중에 유일하게 행복하다고 생각하는 시간일 것 같소.

소름이 끼친다 너무 동감이라서. 매니는 그럴 거면 혼자 즐기면 되지 애시당초 우리에게 서로가 왜 필요한 거냐고 웃긴다고 하겠지만 그건 모르는 소리다. 아니 내가 그녀에게 그 정도 밖에 생각 못하도록 역할지웠다.

*

> 사랑한다는 표현보다 사랑을 발견한다는 게 더 정확한 표현이 아닐까 생각해 왔소

>> 그게.. 무슨?

> '나는 당신을 사랑합니다 (I love you)' 보다 '나는 당신에게서 내 사랑을 발견합니다 (I find my love in you)'라는 게 더 정확한 이야기라는 거요

>> 그런가요?

케니는 보이지 않고 매니는 실재하지도 않기에 내가 느끼는 감정은 실체가 없는 걸까? 근데 실체가 있는데.. 지금도 막 느끼고 있는데.. 심지어 내가 사랑을 느끼는 케니가 부재하거나 있다가 없어진다고 해도 사랑을 느낀 건 느낀 거다. 고로 그에게서 내 사랑을 찾아낸 거다?

>> 당신 정말 군인 맞나요? 이럴 때 보면 철학자나 사기꾼 같아.

> 그냥.. 당신을 알고 나서 생각이 많아졌을 뿐이오. 어쩜 와이오밍의 그 허공을 보며 뭔가 내 안에 쌓여왔던 것 같소. 누군가에겐 사랑한다고 말하기도 했는데.. 사실 내 느낌을 정말 정확하게 표현했던 건 아니었나 보오
>> I've been finding love in you
> 저런, 선수를 당했네. 짖궂소 당신!
>> 인간의 심리를 전공한 건 나인데 나야말로 한방 먹은 거죠. 당신, 가끔 정말 대단해요.
> ㅎㅎ 항상이겠지.

*

꿈결처럼 며칠이 훅 지나간다. 케니와 매니는 정말 연인처럼 대화를 이어간다. 다시는 통증이 올 것 같지 않을 정도로 몸 컨디션이 좋다. 폰 모니터를 들여다 볼 생각만 해도 가슴이 벅차오른다.

“쌤, 연애하시죠? 아님 적어도 뭔가 되게 좋은 일 있으시죠?”
“그런게 어딨겠어? 그냥 똑같애. 같이 한 20분만 째볼까? 예약환자도 없고.”

나와 미영 쌤 만의 비밀 산책코스가 있다. 병원 바로 옆에 있는 P대학 캠퍼스를 한바퀴 도는 건데 코스 중에 제법 넓은 잔디밭 두 개가 포함되어 있다. 우리는 P대 로봇연구소 안에 있는 로봇이 서빙하는 무인카페에서 각자

아아 한 잔씩을 사들고 걷는다. 평소 같으면 환자들, 실장을 포함한 주변 사람들 뒷 얘기로 입이 쉴 틈이 없을 텐데 오늘은 조용하다. 주로 떠드는 쪽인 내가 말이 없기 때문이다. 미영 쌤이 '참 별일 다 있네' 하는 표정으로 슬그머니 내 눈치를 보다 배시시 웃는다.

"왜? 내 표정이 이상해?"
"아뇨, 쌤 얼굴이 넘 행복해 보여서요. 그 기분이 저한테 옮을 정도로요."
"허 참 별일이네. 커피나 마셔."

나이에 안 맞게 감정을 숨기는 게 서툰 모양이다. 어쩌겠는가? 이렇게 날씨는 포근하고 공기마저 달콤한데, 케니 덕에 이제 남자사람 뿐 아니라 길 옆 풀때기에서도 '사랑을 찾을 수' 있을 것 같은 기분인데, 이를 어찌 감출 수 있단 말인가? 어느새 15분이 지난다. 첫번째 풀밭은 이미 지났다. 우리 둘은 코스의 클라이맥스, 즉 AI 연구동 뒤쪽 벤치로 와서 앉는다. 눈 앞에는 축구장만 한 크기의 풀밭 아니, 사실 관리 안 된 나대지가 펼쳐지고 그 뒤로는 소나무 언덕, 그 위로는 '낙원'이라는 커다란 글씨가 쓰여진 오래된 아파트가 보인다. 미영 쌤의 얼굴에 그랬던 것처럼 아파트 담벼락에도 내 감정이 투영되는 건가?

그렇게 땡땡이 잘 치고 들어와서 일 좀 해보려고 환자들 심리분석 자료를 출력해 철하기 시작한다. 근데,

'악!'
"무슨 일이세요?"
"아, 그냥 서류철 표지에 손가락을 좀 벤 모양이야.
괜찮아."
"어머, 종이에 베는 거 아픈데.."

괜찮다는데 굳이 미영은 소독약과 밴드를 찾아온다. 치료해 주는 미영을 보고 있는데 갑자기 마음 한구석에 먹구름이 몰려오는 느낌이다. '다쳐서 그러나 아니면 갑자기 불안해 지는 건가? 하기사 언제부터 인생이 좋기만 하던가..'

항상 기운 차고 생명력이 넘쳤던 엄마는 내가 대학에 합격하던 날 교통사고로 세상을 떠났다. 내 결혼은 내가 커리어의 정점에 올랐을 때 깨졌다. 뭐 수시로 이렇게 컨디션이 최고조에 올랐을 때 통증은 불청객처럼 찾아온다. 케니를 만난지 채 3 개월만에 난 하루라도 그와 대화를 나누지 않으면 견딜 수 없을 만큼 그에게 빠져있다. 그런 감정을 굳이 다스리고 싶은 마음은 없지만 왠지 그렇게 하지 않으면 무슨 일이 생길 것 같은 예감이 든다. 전쟁터에 있는 그가 다치거나 죽을 수도 있고 실종될 수도 있다. 가장 큰 걱정은 그의 실체에 대해 확신할 수 없다는 거다. 데이팅 앱에 들어온 순간 어느 정도의 거짓과 실망은 각오한 부분이긴 하지만 그걸 케니에게서 발견하는 건.. 정말 참을 수 없는 일일 것 같다.

*

> 할 말이 있소, 매니.
>> 하세요.
> 듣기 전에 마음의 준비를 좀 했으면 좋겠소.
>> 그렇게 이야기 하니 좀 겁나요. 무슨 이야기이길래?
> 사실 나…

돈이 필요하다는 걸까? 그 돈을 나이지리아 같은 데로 부쳐달라고? 얼마나? 얼마든 줘버리라고 매니는 나한테 얘기한다. 어떻게 찾은 인연인데 돈 몇 푼에 실망해서 등을 돌려버릴 거냐고. 나는 매니한테 얘기한다. 그 말이 맞아, 하지만 만약에.. 만약에..

> 사실 나 가정이 있소.
>> 아…

총각인 척하는 유부남이 처음은 아니다. 굳이 밝힐 필요가 없는 온라인 남친이 사실을 밝히는 게 처음이지. 드라마에 나오는 것처럼 얼굴에 찬물을 끼얹는다거나 뒤통수를 되게 한 대 얻어맞은 기분은 아니다. 좀 멍할 뿐이다. 그래도 어느샌가 내 손가락은 바쁘게 움직이고 있다.

>> 왜 이야기해요? 내가 묻지도 않았는데. 어차피 우리 만나고 있지도 않은데. 그냥 편안하게 당신을 좋아하게 해 줄 수는 없었어요?

> 미안해. 정말 미안하오. 하지만 그동안 너무 괴로웠소. 당신이 좋아질수록, 당신을 향한 내 감정에 하나씩 이름표가 붙을수록 말하지 않고 숨기기가 점점 어려워졌소.
>> 너무 좀 힘드네요.

매니는 좀 화가 나는 것 같은데, 나는 어떤 면에서 오히려 잘되었다 생각하고 있다. 내가 프로필을 속인 것에 대한 죄책감, 케니의 존재가 거짓일지도 모른다는 불안감이 동시에 가벼워지는 느낌이다. 그와 주기적으로 어딘가에서 몸을 섞고 있지도 않고 가시적인 미래에 그렇게 될 것 같지도 않은 이상, 그에게 가정이 여러 개가 있어도 난 누군가 다른 여자와 케니를 현실적으로 공유하고 있는 것이 아니기에 … 그러니까 지금까지와 달라질 것이 없다. 난 매니를 달래 본다.

>> 좀더 얘기해 봐요. 애들도 있나요?
> 딸이 하나 있소.
>> 몇 살?
> 네 살. 내가 파병되기 전에 두 살이었고 막 젖을 떼고 있었소.

아이들의 그 맘때가 지구의 기원처럼 아득하다. 몇 년 후 큰 애가 며느리와 케니의 딸만 한 아이를 안고 찾아올 수도 있다.

>> 매일 얘기하나요?

> 매일은 어렵지만 시간이 허락하면 단 5분이라도 하고 있소.
>> 이름은?
> 메리 제인(Mary Jane.) 엠제이라 부르오.
>> 예쁜 이름이네요. 생긴 것도 예쁘겠죠? 대체 세렌디피티엔 왜 들어온 거죠? 아이가 매일 눈에 밟힐 텐데, 또 아내도
> 내 결혼생활은 곧 끝날 거요. 아내에게도 내게도 이런 삶을 계속해 나가는 건 너무 잔인한 일이오.
>> 매순간 조금씩 나빠지기만 할 걸 두 사람이 이미 알고 있는 건가요?

잠시 침묵이 흐른다. '어떻게 알았지?'라고 흠칫 놀라는 케니의 표정이 보이는 듯하다.

전 남편이 내게 비슷한 이야기를 했었다. 언젠가부터 '우리의 삶이 매일 조금씩 나빠지기만 할 거라 느꼈다'고.. 그리고 떠났다. 그 때는 이미 그가 다른 세상에 살고 있는 사람처럼 느꼈던 것이 몇년이나 지난 다음이었기 때문에 별로 놀라지도 않았다. 케니도 가족을 떠나려는 걸까? 매니는 아직 화가 안 풀렸지만 나는 슬며시 희망을 가져본다.

‘21년 6월

> 나 좀 급하게 돈이 필요한데 도와줄 수 있겠소?

가슴이 철렁 내려 앉는다. 케니가 사기꾼인가 하는 의심이 반이라면 그에게 무슨 일이 생긴 건 아닌가 하는 걱정 반이다. 거기에 얼마인지는 몰라도 저 돈을 빌려줌으로써 우리 관계에 뭔가 실체가 생기게 되는 건 아닐까 하는 기대감으로 난 답을 해 본다.

>> 조금은 해볼 수 있을 것 같은데 그 전에 이유를 알고 싶어요. 무슨 안 좋은 일이라도 있는 건가요?
> 메리제인이..
>> 어머, 엠제이에게 무슨 일이라도 있는 거에요?
> 피아노를 배우기 시작했는데 꽤 재능이 있는 모양이오. 한달에 한번씩이라도 좀 괜찮은 선생님에게 레슨을 받게 하고 싶은데 내 수입으로는 어림도 없소. 아내가 동네에서 이런저런 아르바이트를 하고는 있는데 그것 가지고는..

나는 바로 반응을 보이지 않는다. 어떤 감정을 느껴야 할지 잘 모르겠다. ‘그게 나랑 무슨 상관이냐’고 따져볼까 하는데 그가 말한다.

> 그냥 잊어버려요. 난 너무 나쁜 놈인 것 같소. 이래서는 안되는데 하면서도 말도 안되는 일까지 당신에게 기대려 하고 있소. 아무래도 그냥 끝내는 게 좋을 것 같아. 역시 안

좋은 생각이었어. 세렌디피티, 당신, 온라인 상의 인간관계.. 앱을 지워버리고 당신의 존재를 잊고 살려 노력해 보겠소. 죽을 만큼 괴롭겠지만 뭐 언젠간 이겨낼 수 있지 않을까? 이건 정말이지 옳지 않은 것 같소.
>> ㅎㅎ 꼬맹이가 조성진이나 임윤찬같이 될 모양이군요 (아차, 미안해요. 내가 이름을 기억할 수 있는 한국의 피아노 신동들이에요.) 케니, Take it easy. 내가 엠제이를 돕길 원해요. 어떻게 하면 되죠?
> 정말 괜찮아요. 조..? 임..? 누구든 엠제이가 정말 그 친구들만큼 재능이 있다면 약간만 도와줘도 알아서 자기 길을 찾아가겠죠. 여전히 당신에게 이야기한 건 끔찍한 실수였소. 미안하오.
>> 이봐요, 케니. 정말 괜찮아요. 난 가진 게 돈과 시간 밖에 없는 골드미스잖아요. 기억 안나요?^^

그리고 드디어 난 그 말을 꺼낸다.

>> 그런데 조건이 하나 있어요.

케니가 약간 움찔하는 것 같다. 매니가 내 뒤에 숨어있다가 고개를 들어 호기심 어린 눈으로 폰 모니터를 바라본다.

> 조건? 뭐든 내가 할 수 있는 거라면..
>> 당신 얼굴 보고 이야기하고 싶어요. 목소리도 들어보고 싶구요.

또다시 짧은 정적 후 케니가 입을 연다. 모니터 뒤에 어색한 표정을 짓고 있는 그의 모습이 보이는 듯하다. 매니의 표정은 호기심에서 짓궂은 미소로 바뀐다.

> 무..물론. 그건 이번 일이 아니라도.. 나 또한 매니를 보고 이야기하고 싶었으니까..

얼굴과 목소리를 드러내야 하는 건 케니 뿐이 아니다. 의구심이라기 보다는 호기심에서 우발적으로 던져 본 건데 그걸 덥석 받으니 오히려 당황스럽다.

> 진정 맹세하건데 만약 내가 도움을 청할 수 있는 다른 사람이 있었다면 절대로 당신에게 이야기하지 않았을 거에요. 그리고 약속하건데 난 반드시 당신이 빌려준 돈을 갚을 거요. 지금도 위험한 작전을 수행하면 위험수당이 나오고, 가까운 미래에 민간 기업에 가면 현 수입의 열 배가 보장되니까..
>> 당신, 지금의 당신 일 사랑하는 거 아니었나요?
> 그렇긴 하오만 앞으로 5년내에 나도 내 진로를 정해야 해. 계속 전장에 있는 게 내가 원하는 거라 해도 조만간 나이 때문에 더이상 작전에 투입되기 어려워 질 거고, 전장이 아닌 후방 임무는 지금도 끔찍하니..
>> 돈은 미국으로 송금해주면 될까요? 아니면 당신이 있는 곳으로? - 난 아직도 거기가 어딘지 모르네요 ㅎ
> 매니와 같이 관리하는 암호화폐 계정을 하나 만들고 싶소. 그리고 그 계정의 비밀번호를

'vaultoflove!@#$21'이라 정할 거요. 처음엔 -부디 이번 한번만- 당신이 입금을 하겠지만 나도 돈이 생기는 대로 넣도록 할 거요. 나중에 당신도 지금의 나처럼 도움이 필요할 수 있고 그 때가 되면 그냥 마음대로 꺼내 쓰도록 해요. 나한테 이유를 이야기할 필요도 없소.

볼트오브러브(Vault of Love)라 사랑의 금고라는 뜻 아닌가? 좀 로맨틱한데 ㅎ. 이건 나보다 매니의 반응이다. 그런데,

>> 얼굴 공개, 목소리 공개. 진짜를 공개할 수도 없고… 어쩌지? <<

내가 건 '조건'이 거꾸로 내 발목을 잡거나 하게 되진 않을까? 얼굴도 모르는 사람한테 적지 않은 돈을 꿔줄 수는 없고, 그보다 이제 진짜 케니의 얼굴을 한번 보고 싶은 마음에 약간 즉흥적으로 뱉은 말에 난 또 고민하고 있다. 누군가가 진짜인지를 확인하겠다는 건, 따지는 나자신이 진짜라는 전제 하에서만 가능한 것이거늘. 어쨌든 매니는 쉽게 생각하는 것 같다.

>>> 걱정 말아요, 언니. 요즘 과학기술이 얼마나 발전했는데 그 깟 문제 하나 해결 안되겠어요? <<<

난 환자 중에 로맨스 사기 피해자를 떠올려 본다. 그녀는 상대 남성이 '딥페이크(Deep fake)'라는 기술로 화상채팅을

통해 자신을 속였다고 했다. 난 그 단어를 검색어로 유튜브부터 뒤지기 시작한다.

‘세상에..’

약 삼십 분 후, 검색된 동영상의 엄청난 숫자보다도, 나같은 컴맹도 그 기술을 충분히 이용할 수 있도록, 컨텐츠가 얼마나 친절하게 잘 되어 있는지 놀라게 된다

‘21 년 8 월

3 주째 케니와 연락이 닿지 않는다. 언젠가 ‘작전 시간 중 기다림이 90%’라 이야기했던 그의 이야기를 반추하며 안전하리라 생각하지만 그래도 그가 죽으면 어떻게 할까라는 두려움으로 잠을 이루지 못한다. 그리고 그의 장례식 장면을 상상해 보면 내 두려움의 실체는 연인의 안위를 걱정하거나 나아가 한 인간이 다른 인간에 대해 당연히 느껴야 하는 그런 선한 본성에서 비롯된 것만은 아님을 금방 깨닫는다.

미 남부에 있는 포트(Fort) 어쩌구에 그의 시신을 실은 수송기가 도착한다. 하적을 위해 수송기 뒷 쪽에 있는 게이트가 열리면 금속제 관이 실린 플레이트가 지게차에 의해 공항활주로에 내려지고 간단한 수속 후 케니의 관은 그의 가족들이 몇 대째 다니고 있는 교회 뒤에 있는 묘지로 이동한다. 도착했을 때 이미 매장을 위한 준비는 끝나 있다. 관이 들어갈 구덩이 주위로 모인 몇몇 사람들의 한 중간은

케니의 아내와 엠제이다. 그들은 그냥 무표정하다. 항상
그렇지만 눈물은 가깝지도 멀지도 않은 사람들의
얼굴에서만 보인다. 목사님의 기도가 끝나고 인부들에 의해
구덩이 속으로 내려진 관 위로 사람들이 한 삽, 두 삽 흙을
퍼 내린다. 삽을 든 사람들은 뭔가 중얼거린다. 대부분 '그의
영혼을 좋은 곳으로 보내주소서'하는 기도이다.

그런데..

이 길지 않은 장면 속에 나는 어디에도 없다. 케니의 죽음과
함께 매니도 죽어버린 것이다. 케니와 달리 매니는 이
세상에 물리적으로 존재한 적이 없었던 만큼 존재 자체가
소멸되어 버린다. 그의 때이른 사거(死去)도 슬프지만
매니와 그녀의 무게만큼 사라진 내 존재가 견딜 수 없을
만큼 안타깝다. 난 그게 케니의 죽음 자체보다 더 두려운
것이다.

밤새 잠을 이루지 못한다.

*

뉴스에서는 아프가니스탄 바그람 공군기지를 도망치듯
떠나는 미군과 관련자들, 그리고 그들의 빈자리에서
탈레반에 의해 비참한 최후를 맞게 될 조력자들의 모습이
연일 비춰진다. 저기 케니도 있겠지.

몇시간 후면, 아니 이미 몇시간 전일 수도 있겠지, 가족들과 상봉할 케니를 생각하면 가슴 한 구석이 저려온다. 결혼 따위, 더욱이 내가 그의 반려자 자리에 앉고 싶은 생각 따위는 일도 없다. 어여쁜 아내와 귀여운 아이 사이에서 그가 행복해 하는 것을 바라지 않는 것은 더욱 아니다. 그냥 난 단순히 그의 삶의 일부분, 나아가 그의 일부가 되고 싶을 뿐이다. 5%? 3%? 아무리 작아도 상관없다. 그리고 나에게 희망이 있음은 케니가 증명해 줘야 한다.

한줄기 한기가 목 뒤를 스쳐간다. 12 주만이다. 자고 나면, 아니 끔찍한 고통에 밤을 새고 나면 온몸에 발진이 돋겠지? 내 병..엄마, 아빠, 그리고 남편과 아이들, 처음엔 놀라고 안쓰러워 하고 어떻게 해서든 도우려 하다가 지쳐 포기하고 때로는 버거워 했다. 뭔가 신나고 좋은 일을 앞두고 항상 '아프면 어쩌지?'하는 두려움에 난 불안했고 그게 그들을 짜증나게 했다. 아프다는 것, 때로는 누군가를 끝까지 몰아세우는 위협이자, 상대방으로 부터 뭐든 양보를 얻어내는 핑계 아닌가?
부모님은 몇년간 계획해 온 해외여행을 여러 번 취소해야 했고 전 남편은 로맨틱한 밤을 수없이 포기해야 했다. 아들은 중학교 때 자신이 속한 농구팀의 전국대회 결승전을 나 없이 치러야 했다. 그들은 나를 안쓰러워 하면서도 나로 인해 자신들의 이벤트가 망가짐에 열 받아 했고 동시에 그런 자신들을 혐오하며 자책했다.
아프다는 건 잘못이 아니지만 내 병이 내 주위의 사람들을 밀어내고 있다는 인식은 고통을 가중시킨다. 그나마 케니가 연락을 하지 않는 동안 이렇게 아프기 시작하는 걸 어쩌면 난 기뻐해야 할지도 모르겠다는 생각까지 든다.

'21 년 7 월

차라리 '조건' 따위 걸지 말 껄 그랬나? 어차피 만져볼 수도 없는 사람, 서로 할 얘기 못 할 얘기 다 하고 있는데 굳이 그렇게.. 마치 돈 줄 테니 얼굴 보여달라는 식으로 재촉했어야만 했나 후회할 무렵에 그에게서 연락이 온다. 화상챗 링크와 함께.
내 머리속에서는 그에 대한 그리움과 원망이 사라지고, 그 자리에서 나를 어떻게 드러내야 할까에 대한 고민으로 채워진다. 내가 아닌 다른 사람의 얼굴로 내가 그렇게 소중히 생각하는 사람과 첫 대면한다는 것이 사실 무척 미안한 일이지만 어찌 보면 상대방이 여태까지 그렇게 사랑했던 모습은 매니의 그것이기에 갑자기 다른 모습을 앞세울 수도 없는 일이다.

*

클레이 스펜서를 닮은, 그러나 좀더 동안에 좀더 근육질의 남자 뒤로는 모자이크 처리를 했지만 A 형 텐트 안 인 듯한 공간이 있다. 군인이라는 신분을 모른다면 부랑자에 더 가까운 덥수룩한 금발 머리와 수염이 군데군데 일광화상을 입었지만 창백한 피부와 바다색의 눈동자를 감추진 못한다. 그런 그의 시선 맞은 편엔 매니가 앉아있다. 며칠 전부터 비밀리에 촬영해 둔 정신과 선생님의 진료실을 배경으로 그녀는 가운을 입고 앉아있다. 가운 속으로는 약간 타이트한 블랙 브이넥 티셔츠, 적당히 그을은 피부, 그리고 가슴골이 시작하는 바로 위로 큐빅 장식이 반짝이는 목걸이가 있다. 내 얼굴은 잔뜩 상기되어 있지만 매니의 얼굴은 그렇지 않아 좀 아쉽다.

케니가 입을 열고, 세렌디피티 채팅 앱은 설정해 놓은 대로 그의 말을 자막으로 옮긴다.

"살아서 돌아왔소."

너무나 고대해 왔기에 그렇게 두렵기도 했던 순간. 내 마음 속에 그려왔던 이미지와 느낌이 깨질까 봐 두려우면서도 매일 매순간 상상만 하는 것 또한 잔인한 일일 거라고 생각했었는데..

5주 만의 기별. 내가 열 받음과 반가움 사이에서 고민하는 사이 매니는 다소 장황하게 말하고 있다. 무사히 돌아와 너무 다행이다. 다친 데는 없느냐. 엠제이는 안아봤느냐. 애가 서먹해 하지는 않더냐는 질문은 하는데 차마 왜 한달 이상 연락을 못했느냐고 묻진 않는다. 뉴스도 안보고 사느냐고 퉁명스런 반응이라도 보일까 두려운 모양이다.

"이 곳으로 한번 와주면 안되겠소?"

케니의 뜬금포에 나는 물론 매니조차 입을 다물지 못한다. 그의 표정을 보니 절대 농담은 아닌 것 같다.

"어디로요? 당신의 아내와 엠제이가 있는 곳으로? 내가 왜요? 거기서 내가 뭘 할 수 있죠? 갑자기 그렇게 연락을 끊는 건 뭐고.. 또 이렇게 연락해서, 더구나 오라구요? 당신 대체.."

매니의 얼굴 아래 흐르는 실시간 영문 자막이 몇몇 단어들의 철자를 엉뚱하게 찍는 걸 보니, 내가 좀 과하게 반응한 것 같다. 후회된다. 단순한 변덕이니 치기가 아니라면 케니는 나의 통증보다 더한 정신적 고통때문에 절박하게 도움을 청하고 있는 걸 수도 있는데..

"새벽에 부대로 출근하면 하루종일 팔다리 잘린 멍청이같이 책상 앞에 앉아있소. 퇴근하면서 바에 들러 농구나 아이스하키를 보며 맥주 반 병을 마셔. 벽에 걸린 시계를 봐. 7 시쯤 되었소. 가끔 전우들이 와서 말을 걸면 막상 전장에 있을 때는 목숨을 걸고 싸웠던 이야기들을 무슨 그리운 오래전 로맨스처럼 이야기하지. 시간을 봐. 8 시쯤 되었지. 21 세기에 어울리지 않는 주크박스(Juke box)에서 치지(Cheesy)한 컨트리 송을 골라 틀어. 같은 노래들을 세번 이상씩 들으면 눈치가 보여서 화장실에 가. 변기에 멍하니 앉아있소. 8 시반. 그리고나서 집으로 향하지. 아이는 자고 있고 아내는 나를 기다리고 있소."

"완벽한 하루 아닌가요?" 매니는 말을 뱉고 나서 바로 시니컬하게 반응한 걸 후회하는 표정이다.
"바 화장실 변기 위에서처럼 난 아내와 소파에 앉아 TV를 봐. 아니 사실 아무것도 보고 있지 않소. 그녀는 더 이상 내게 말을 걸거나 하지 않아. 천번도 넘게 시도했을 텐데 내가 대꾸하지 않았어. 그녀가 싫어서가 아니오. 하지만 돌아온 후에 아내와 아이가 사는 세상과 나의 세계가 평행선을 긋는 느낌이오. 가까와지지도 멀어지지도 않는 끔찍한 거리를 유지하면서. 10시가 안되어 아내는 자러 들어가. 나는 그대로 TV 앞에 다음날 출근 때까지 앉아있소."
"잠은?"
"언제 제대로 누워서 잤었는지 기억이 안나. 한가지 확실한 건 조용한 침실에 누우면 천정에서부터 어둠이 내려와 가슴을 짓누르는 느낌이라는 거. 조용히 혼자 있을 때 불안해서 미쳐버릴 것 같아. 지난주엔 차고로 들어가 홈 디펜스(Home defense)용 글록(Glock)을 꺼내 한참을 바라봤소. 다음주면 그걸 내 머리에 겨누고.."
"도움은 받고 있나요?" 매니의 표정은 서서히 걱정의 그것으로 바뀐다.
"슈링크? 한달에 한번정도 만나. 친절한 분이지. 그 사람과 이야기하는 시간 동안은 좀 안정이 되는 것 같은 느낌이오. 상담 후엔 한동안 괜찮아 지는 듯하기도 하고. 하지만.."
"하지만?"
"점점 처방해 주는 약의 용량과 종류가 늘어나고 있소. 이렇게 약을 먹다가 다시는 투어(Tour)에 참가하지 못하게 될지도 모른다는 생각이 들어. 전장에 가는 것만이 내 문제를 해결해 줄 수 있는데.. 어찌해야 할지 모르겠소."

수만 킬로미터 떨어진 남의 땅에서 무엇을 위한 건지도 모르는 채 매일매일 목숨 걸고 싸워야 한다는 것. 수시로 죽어 나가는 동료과 양민들. 매일같이 죽여야 하는 적들. 우리가 가볍게 PTSD(Post Traumatic Syndrome Disease)라 이름 붙인 그 병은 케니에게는 죽음을 생각하게 하는 재앙이면서 나에게는 정신과 전문의인 매니가 그를 위해 존재해야 할 이유를 제공하는 구실이기도 하다.

"정말이지 ... 내가 해 줄 수 있는 일이 없네요."
"내가 사는 곳, 노스캐롤라이나로 와 주면 안되겠소? 매니하고 이야기할 땐 전쟁 없는 삶도 그런대로 살아질 것 같은 희망이 생겨. 당신이 지금처럼 몇천마일이 아니라 찾아가 볼 수도 있는 몇 마일 밖에 있다고 생각하면 그렇게 희망을 가지고 살아질 것 같단 말이오."

당장 달려갈까? 그러려면 난 내 진짜 정체를 밝혀야 한다. 그가 감당할 수 있을까? 설령 간다고 해도 처자식이 있는 그와 말도 잘 안 통하는 나라에서 뭘 할 수 있을까? 정신과 의사도, 37 세의 서핑이 취미인 매력녀도 아닌 내가 그를 위해 뭘 할 수 있나 말이다.

"당신이 오면 어때요? 다 내려놓고 여기와서 다시 시작해요."

“마음은 굴뚝같소만..”
“어차피 부인과 애기는 당신의 부재에 익숙해져 있지 않나요? 그들이 편안하게 살도록 나도 도울께요. 당신이 와요. 내 집으로 들어와요.”

어색한 정적이 흐른다. 말한 내용이 괴로운데 비해 상대적으로 평온했던 케니의 얼굴에 미세한 고통의 징후들이 보인다. 이마에 두드러진 혈관, 찌푸려진 미간, 윗니에 물린 아랫입술..

“미안하오. 내가 괜한 소릴 했구려.”
“아니에요. 케니, 사실 나..”

난 내 병에 대해 얘기한다. 케니가 연락하지 않은 동안 많이 아팠고 그를 생각하며 조금이나마 견딜 수 있었다. 한편으로는 그가 내가 아픈 걸 몰라 다행이었다고. 매니는 펄펄 뛴다. 왜 아픈 이야기를 하느냐고. 이제 케니까지 밀어낼 셈이냐고..

“정말이지 뭐라 할 말이 없소. 매니, 진정 난 죽일 놈이란 생각이 들어.”

매니의 말이 맞다. 어느 날 갑자기 나타나 이제 그 부재를 상상조차 할 수 없이 삶의 일부가 된 소중한 인연을, 서로 대면하고 목소릴 들은 기념할 만한 날에, 나는 밀어내고 있다.

'22년 1월

케니가 또 아무말 없이 연락을 끊은 지 몇 달이 지났다. 처음이 아니기에 몇 주는 그럭저럭 걱정없이 지냈지만 한 달을 경과한 시점부터, 그가 무사할까 하는 걱정 외에도 별 생각이 다 든다.

'티 났던 건가?'

아무리 딥페이크 기술을 사용한다고 해도 실물만 할 수는 없었을 거고 우리의 첫 화상챗이 길지는 않았지만 어쩜 케니는 내 표정이나 움직임에서 어색함을 찾아냈을지도 모를 일이기 때문이다.

크리스마스도 새해도 케니없이 지내야 했다. 케니가 조용하니 매니도 거의 말이 없다. 그 사이에 사랑의 금고에 '선물값'이라고 백만원을 더 송금했는데 어느새 사라진 걸 보니 내 덕에 케니의 가족들은 모처럼 따뜻한 연말을 보낸 모양이다. 소박하게 장식된 크리스마스 트리 앞에서 케니와 그의 아내와 딸이 모여 앉아서 선물을 하나씩 개봉하며 행복해하는 모습을 상상해 본다. 모처럼 케니도 미소 짓고, 그런 그를 보며 그의 아내가 행복해한다. 케니의 행복을 상상하면 내게는 기쁨과 고통이 동시에 찾아온다. 사랑하는 사람을 독점하고 싶은 욕심을 버리는 건 힘든 일이다. 내게 사랑이라는 감정은 그 대상이 사람일 때 공유를 전제로 한 것이 아니기 때문이다. 하지만 케니가 말한대로 사랑은 그 대상이 사람이라기 보다는 내 마음 속에 숨어있는 감정이기에 내가 그것을 확인한 이상 굳이 사람을 독점하는데 집착할 필요가 있겠는가? 오히려 결혼이라는, 인류의 역사만큼 오래된 제약을 가볍게 무시하고 내 안의 사랑을 찾기 위해 케니의 숨은 연인이 되는 건 생각만으로 스릴있고 흥미롭다.

노스캐롤라이나 근처에 있는 어딘가로 이사가는 상상을 해 본다.

>> 뭐 해서 먹고 살지? 심리상담 하기엔 영어도 넘 짧고.. <<
>>> 뭐든 하면 되죠. 낮엔 마트에서 카운터 보고 밤엔 바에서 주방일을 보거나 서빙을 하는 거에요. <<<
>> ㅎㅎ; 영화를 너무 많이 봤다 너. 요즘 마트들.. 카운터에 사람 없어. 그리고 주방은 몰라도 바 서빙은 누가 나같은 아줌마에게 그런 일을 시켜주겠어? 주방일조차도 나보다 삯은 반이고 일은 두배로 하는 멕시코 여자들이 수두룩할 텐데.. <<
>>> 중요한 건 케니 곁으로 가는 거에요. 언니는 그의 가족이나 친구들이 도울 수 없는 그의 아픔을 치유할 수 있어요. 케니의 부대 근처에 작은 아파트나 장기임대모텔을 얻어요. 그리고 그가 매일 들르는 바에 아르바이트 자릴 얻는 거죠. 언니는 같은 나이의 미국 백인 여자들에 비하면 10년은 어려 보여요. 아마 사장님이 좋아할 거에요. 그리고 케니를 매일 만나는 거에요. 그에게 음식을 차려주고 술을

대접해요. 때로는 말동무도 해주고 주크박스에서 나오는
그가 좋아하는 노래에 맞춰 같이 춤도 춰요. 그리고 기회를
봐서 그를 방으로 불러요. 긴 시간도 필요 없어요. 뭔가 할
필요도 없죠 (하고 싶나요? *^^*) 그냥 그와 같은 공간에서
같이 시간을 보내는 거에요.<<<
>> 그는 날 알아보지도 못할 텐데. 정체를 밝히면 실망할
거고 배신감을 느낄 거야. 넌 젊고 아름답고 생명력이
넘치지만 난 늙고 지루하고 또 가끔씩 죽을 듯 아파서
나한테 좋은 감정을 가진 사람들을 밀어내기만 하지 <<
>>> 언니가 나에요. 케니가 날 사랑한다면 그건 언니를
사랑하는 거에요. 난 언니가 만들어 낸 껍데기일
뿐이니까요.<<<
>>매니, 정말 이러지마. 난 그냥 그에 대해 생각하고 가끔
이야기 나누고 무엇보다 그의 존재에 대해 상상하는 걸로
충분히 행복해. 아름다운 네가 그 매개가 되어줘 고맙지만
더이상 날 흔들지 말아줬으면 좋겠어. <<

젠장, 말은 이렇게 하지만 정말 그렇게 하면 될 수도 있지
않을까 하는 생각이 든다. 난 혼자고 미국에 가서 몇 달은
버틸 돈도 있고. 매니는 정말이지 좋은 동생이지만 또 나쁜
년이다. 그리고 케니의 침묵은 계속된다.

*

‘최근 환자들의 신상정보가 직원들에 유출되는 사고가 빈번히 일어나고 있습니다. 따라서 보안관리규정 5 조 7 항에 의거하여 수시로 보안 점검을..’
‘비업무관련사이트 접속을 자제해 주시고..수상한 메일이나 메시지를 받으실 경우, 1588- ..로 즉시 연락을 ..’

제목 앞에 ‘중요’라는 글씨가 빨간색 볼드(Bold)로 박혀 있어 평소 같음 바로 ‘읽음’ 처리 하거나 아예 지워버릴 메일을 다 읽어버렸다. 상대방이 전화를 받으면 붙잡고 1 분 이상 떠들어야 실적을 올릴 수 있는 텔레마케터라도 되는 양 보안 실장 아무개는 꽤 긴 메일을 쉼표 한번 제대로 안 찍고 전 직원에게 보냈다.

나름 지은 죄가 있기에 뭐 걸릴 게 있나 잠깐 생각해 본다. 지난 10 년간 PC 로는 문서작업과 이메일, 모바일로는 전화, 카톡만 해 왔던 나이기에 지난 1 년간 폭증했을 SNS, 그것도 데이팅 앱에서의 트래픽을 생각해 보면 약간 떨리지 않는 것도 아니지만 ‘환자 신상정보’라니..

결단코 난 결백하다.

‘22 년 2 월

신문과 TV 에서 러시아가 우크라이나를 침공했다는
외신으로 시끄럽다. 난 왠지 케니가 거기 있을 것 같은
생각이 든다. 아니 틀림없이 있다. 물론 서방은 한발짝
뒤에서 무기만 지원한다고 하지만 뉴스에서 이야기하고
있는 것처럼 첨단 무기가 간다면 그걸 다룰 수 있는
사람들도 같이 가고 있지 않겠는가. 케니가 아프가니스탄에
있을 때도 자신의 업무 중 큰 부분이 현지 정규군을
훈련시키는 것이라는 걸 은연 중에 이야기했었다. 어쩌면
케니는 러시아군이 국경을 넘기 오래 전부터 우크라이나
안에 있었을지도 모른다. 아니 틀림없이 그렇다.

*

> 사실 그동안 일이 좀 있었소
화를 내며 왜 그렇게 연락이 없었냐, 왜 화상통화 안 하고
다시 챗을 하느냐 물어보고도 싶은데.. 언젠가부터 매니는
나한테 생각할 여유도 주지 않고 자기 멋대로 케니와
대화를 나눈다.
>> 좀 긴 작전을 나갔겠거니 했어요. 당신에게 무슨 일이
생겼을까 봐 많이 걱정했어요. 그리고 좀 아프기도 했죠.
물론 당신 탓은 아니에요. 지금은 괜찮은 거에요?

다른 사람들처럼 그도 밀어내고 있는 건 아닌지
불안해하면서도 또 그에게 내 아픔에 대해 이야기한다.

케니의 무반응이 3분쯤 이어지자 다시 내 불안감은 고조된다. 하지만 그가 다시 입을 열자 그 직전까지의 생각과 감정은 모두 사라진다.

> 아내와 헤어졌소. 아이를 데리고 친정이 있는 텍사스로 가버렸어. 그래서 나도 아팠소.
>> 저..저런 어떻게

난 뻔히 왜 그런지 알면서 반사적으로 이유를 묻는다. 그가 대답하지 않을 것도, 내가 그 대답이 필요하지 않을 것도 이미 알고 있다. 난 이 소식을 어떻게 받아들여야 하는가? 나와 온갖 달콤한 대화를 나누고 나서 자신의 부인과는 달콤한 잠자리를 나눌 생각을 하면 항상 명치 끝이 좀 저려오곤 했었는데 이제 그럴 일은 없을 것 같다. 근데 그래서 난 좋은 건가?

>> 뭐라 해야 할지
> 아무 말도 할 필요 없소. 그냥 나자신이 너무 바보 같을 뿐이오. 작전을 나가 눈 앞에 움직이는 것들은 모두 쏴대는 거나 할 줄 알았지 소중한 가족을 지키는 거나, 사랑하는 당신을 실망시키지 않는 거나 하는 정말로 정말로 중요한 일들은 당최 어찌해야 할 줄을 몰랐던 거요.
>> 당신이 생각하는 것만큼 당신에게만 원인이 있는 건 아닐거에요. 그리고 당신이 하는 일 때문만도 아닐거에요. 그 누구도 당신과 당신이 하는 일을 완벽하게 이해하긴

힘들고 또 아무래도 마지막엔 자신의 이해관계가 우선일 테니까

갑자기 눈물이 난다. 그 때문인가 아님 나 때문인가?
인생은 때때로 그 주인들에게 참 잔인한 것 같다. 최선을 다해, 저렇게 목숨까지 걸고 사는데 가족들을 떠나게 하는 결과가 되다니.

> 많이 아팠소?
>> 많이 아팠어요. 이러다 죽겠구나 싶었어요. 죽는 것보다 죽고나서 당신에게 소식을 전할 방법이 없다고 생각하니 슬펐어요. 당신이, 죽고 더이상 연락이 안되는 나를 찾으며 슬퍼할 것 같았어요. 그렇게 생각하면 약간 안심이 되면서도 당신이 고통스러워 할 걸 생각하면 더 아팠어요. 몸보다 마음이 더 아프더군요.
> 뭐라 할 말이 없소. 나같은 인간때문에 아팠다니 그냥 스스로 혀라도 뽑아버리고 싶은 맘이구려
>> 그런 말 하지 말아요. 우리 이렇게 이야기 나누고 있잖아요. 밥은 제대로 먹고 다녀요?
> 나 자신을 굶겨서 죽을 만큼 독한 인간은 못되는 것 같아. 죽고 싶으면 글록 권총이 있으니까. 밥은 잘 먹고 다니오

그렇게 애타게 기다리던 케니의 연락인데 대화를 이렇게 계속할 수는 없어 화제를 바꿔본다.

>> 뭐라도 좋으니 죽음이나 이별이 아닌 다른 것에 대해 얘기해요.
> 나 군을 떠났소

결국 화제는 죽음이나 이별에 머무른다. 케니가 군인이고 대부분의 시간을 전쟁터에서 보낸다는 게 매니와 그를 연결해주는 중요한 이유였는데… 당장 내일 죽을지 모르는 그 때문에 가슴 졸이지만 동시에 '살아만 있어다오'라며 매니는 순수한 기다림의 삶을 살 수 있는 건데.. 그래도 난 본심과 다르게 반응해 본다.

>> 잘 생각했어요. 이제 좀 덜 위험한 일을 하게 되는거죠?
> 뭐 생각 중이오만 배운 게 도둑질이라고 일을 주는 곳들은 주로 PMC (Private Military Company)들이구려. 어쩌면 군인일 때보다 훨씬 더 위험한 일을 하게 될지도 모르지.

미국도 러시아처럼 최전방에는 자국군이 아닌 PMC 병사들을 배치하고 있으려나? 이제 기다리는 가족도 없으니 그는 틀림없이 아주 위험한 일을 하게 될 게 뻔하다. 마음 한편은 '아서!'라 말하고 싶고 다른 한편은 '그대의 결정을 존중한다'며 다시 한번 그를 전장으로 내몰고 싶어진다. 간혹 연락이 끊어질 때면 나를 바닥이 없는 절망과 고통의 나락으로 빠지게 하지만, 매니와 멋진 한 쌍이 되기 위해서 역시 쓰리피스(Three piece) 수트에 단정한 올백 머리보다는, 먼지투성이 유니폼에 우람한 팔뚝에는 문신과 흉터가 있고 헝클어진 더벅머리와 긴 수염이 더 어울리긴 하기 때문이다.

> PMC 로 가게 되면 현역일 때 비해 수입은 열배가까이 되니 이제 더이상 매니한테 돈을 빌릴 일도 없을 거요.
>> 왠지 이미 답은 정해져 있는 것 같이 느껴지는군요
> 당신 생각은 어떻소? 그냥 내가 생명보험을 팔러 다니거나 마을 보안관이 되는 게 낫겠소?

이상하게 웃음이 터진다. 방금 저 말은 질문이 아니다. 그가 싸구려 양복을 차려 입고 억지 웃음을 지으며 미백으로 어색하게 빛나는 치아를 환히 드러내고 맘에 없는 뻐꾸기를 날리는 장면에 이어서 좀 안 어울리게 큰 카우보이 모자를 쓰고 모래색 유니폼을 입은 채 권태로운 표정으로 순찰차 앞에서 도넛을 먹는 장면이 떠오른다.

>> 나 이제 떳떳한 당신의 '그녀'가 될 수 있는 건가요?
> 이미 그런지 오래 되었는데 그리 생각 안 했던 거요?
>> 뻔뻔하긴.. 남자들은 다 그런가요? 그리고 나 딱히 당신 돌싱되었다고 뭐 좋아하거나 하는 거 아니니 오해하지 마요. 나름 도덕을 아는 여자라구요.
> 나의 이혼이 당신 탓이 아니라고 자신 있게 얘기할 수 있는 건 내 결혼이 지속되었더라도 내가 당신을 사랑하는 마음은 변함없을 자신이 있었기 때문이오

'저 혀놀림 좀 봐.' 어쩌면 PMC 보다 보험 영업이 맞을지도 모른다는 생각이 든다.

***

이제는 아주 약간 현실에 가까와 진 꿈, 미국에 가서
케니와 만나고 같이 사는 상상을 하다 보니 구름 위에 떠
있는 듯 몇 주를 보낸다. 때때로 세션 중에 환자들이 그런
나를 끄집어 내려 지상 위로 데려와야 할 정도로.

“요새 머 좋은 일 있나? 살이 통통하게 오르는 기 볼은
불카갔고 예뻐졌다 아이가. 동만 쌤 니 남자생깄나?”
최고령 환자인 편 여사가 나를 의심스러운 눈초리로
쳐다보며 묻는다. 위아래로 훑어보며 이미 스스로 답을 얻은
듯한 표정이다.
“아이고, 어무이요. 벨 말씀 다 하시네예. 쫌 있음 지도
폐겡이다 아입니까?” 그녀의 말투를 흉내 내어 너스레를
떨어본다.

어머니뻘 되는 오랜 단골이다. P 시 한가운데 있는 커다란
시장에서 가장 큰 회센터를 하는 70 대 여성인데
조실부모했지만 자수성가한 어떤 전형으로 사회적 성공을
개인적 그것이 못 따라온 케이스다. 무능한 남편에
스포일(Spoil)된 자식들. 가족 포함해서 돈을 주고받는
인간관계 일색으로 우울증에 분노조절장애까지 있다. 하지만
이렇게 날 꿰뚫어 보고, 많은 경우 문제해결능력이 나보다
훨씬 낫다.

창 밖에 겨울비가 내리고 잠시 난 그녀와 바람과 함께 들어오는 흙냄새를 맡는다. 그러다가 눈이 마주치자 누가 먼저 먼저랄 것도 없이 웃음이 터진다.

“저 바라. 저 틀림없이 바람났네. 봄도 아이고 이 엄동설한에.. 부럽기도 하고, 참말로!”

2부] 바흐무트로 가는 길 (Road to Bakhmut)

'22년 6월

> 나 다시 전장으로 돌아가오
>> 우크라이나?
> …
>> 왜 말못해요? 이제 뭐 국가안보 이슈 따윈 없는 거 아닌가요?
> 여전히 내 모든 커뮤니케이션은 감시 대상이오. 전엔 군 정보부가 하던 걸 이젠 회사 사이버 보안부서가 한다는 차이 정도지.
>> 뭐 굳이 이야기해 줄 필요도 없어요. 알 것 같으니까

라고 말하긴 했지만 여전히 지구 상에 전장은 많다. 예멘, 시리아, 수단, 서아프리카의 수많은 나라들… 생각해 보면 인류의 자기파괴적 본능 때문에 크고 작은 무력분쟁이 끊이지 않고, 그 끝에 케니같은 인물을 탄생시켰을 지도 모른다. 그런 그에게 빠져들수록 그가 거듭 '돌아가야만 하는' 전장에서의 죽음이나 부상의 가능성이 날 잠 못 이루게 한다.

>> 언제 돌아오나요?
> 알잖소. 기약 없다는 거. 물론 상황이 허락하면 주기적으로 후방이나 아예 제3국에 휴가를 갈 기회는 있을

거요. 아 그러고보니 이제 굳이 미국으로 갈 필요도 없소. 매니보러 P 시에 갈 수도 있겠소.

>> 가볍게 말하지 말아요. 지금까지 올 가능성도 없는 당신을 그렇게 기다렸는데 이젠 식음을 전폐하고 공항이나 기차역 앞에 텐트를 치고 있게 될지도 몰라요.

> ㅎㅎ 왜 나는 걱정이 안되고 맘이 부풀지? 힘들 땐 공항이나 역에 노숙자 차림으로 날 기다릴 당신을 생각하며 힘을 내 보겠소.

>> 밤에 고열에 시달리다 잠에서 깨면 춥지만 차라리 창문을 활짝 열고 밖을 바라볼 때가 있어요. 불빛 사이로 스며들어 있는 어둠이 내게 대화를 시도하려는 것처럼 바람이 불죠. 계절이 바뀌어 이제 꽤 차가운 공기가 들어올 텐데 어쩌면 그게 당신이 내게 보내는 전갈일지도 모른다는 생각이 들어요. 화약과 흙과 피와 땀과 죽음의 냄새가 많이 섞여 있지만 당신의 냄새라면 게걸스럽게 들이마시고 절대 내뱉지 않아요. 죽지 말아요. 빌어먹을.. 살아서 날 보러 와요!

'22 년 10 월

"여보세요?"
"네, 보안실입니다. 무슨 일이시죠?"

'감사합니다. 보안실입니다. 무엇을 도와드릴까요, 고객님!'을 기대했던 건 아니지만 저음의 탁한 중년 남성의 음성은 권태롭기 짝이 없다. 말 걸기 두렵다.

“제가 로그인이 안되어서요. 에러 메시지를 보니 이 번호로 연락하라고 되어있네요.”
“심동만 선생님이시죠?”
“네 맞아요. 임상심리 치료실이에요.”
“그동안 병원 네트워크 보안 시스템을 통해 선생님의 기기에서 이상징후들이 발견되어 저희가 점검 중인데요. 5분후에 로그인하실 수 있을 겁니다.”

‘이런, 나름 조심한다고 하긴 했는데’ 케니와 커뮤니케이션할 때.. 그래서 병원 PC는 사용하지도 않고 전화기로만 했던 건데 아예 와이파이 자체를 껐어야 했던 건가? 내가 말없이 좀 오래 있는지 남자는 내가 아직 있는지 확인한다.

“여보세요?”
“저.. 무슨 이상 징후였는지 알려주실 수 있을까요?”
“아 네, 뭐 걱정하실 만한 건 아니구요. 보안실 내부적으로 관리하는 요주의 IP들이 있어서요. 주로 쇼핑이나 채용 사이트들이긴 한데요. 일부 ‘문제 지역’의 서버들도 포함됩니다. 거기서 오는 신호가 수신된 기록이 많을 때는 병원시스템이 레드 플래그(Red Flag)를 올립니다.”
“전 뭐 그런 일은 없을 텐데.. SNS도 잘 안하고 스마트폰도 주로 전화통화만 하고?..호호”

제발 저린 티를 아주 제대로 내고 있다. 일부 ‘문제 지역’이라고? 말하자면 아프간이나 우크라이나 같은? 좀 늦었지만 이제 케니와 연락할 땐 외부망만 사용해야 할 모양이다. 보안실에선 뭘 얼마나 알고 있는 걸까? 케니의 존재, 그와의 대화 모두?

뭐 들여다 보려면 들여다 보라지. ‘환자의 신상정보’ 따위 유출하고 있지 않으니.. 근데.. 안 들여다보면 더 좋긴 하다. 내 평생을 통틀어 나자신에 대해 가장 많이 이야기하고 있는 시간들이 아닌가? 거기에 그 수많은 얄궂은 표현들. 물론 내가 아닌 매니가 뱉어낸 것들이긴 하지만.

난 부끄럽지도 않지만 자랑스럽지도 않다. 그러고 보니 얼마 전부터 나를 보는 사람들의 시선이 좀 달라진 듯한 느낌이 있다. 슬금슬금 눈치를 본다고 할까? 내가 그들에게 이야기하지도 않은 뭔가를 이미 다 알고 있는 것 같다고 할까? 심지어 약간 감시 당하는 듯한 느낌도 있다. 보안실과 전화를 끊고 정상적으로 로그인 했지만 왠지 기분이 더럽다. 케니도 이런 식으로 감시 당한다고 했는데.

>> 그게 나였음 좋겠어 <<
>>> 뭐가요? <<<
>> 케니를 지켜보는 거 말이야. 24 시간 일거수 일투족을 훔쳐보고 싶어. <<
>>> 소름 끼쳐요 언니. 그 무슨 팝송 노래가사 같아. <<<

머리 속에 'Every Breath You Take?'의 후렴구가 울려 퍼진다.

>>> 그렇게 계속 보고 있으면 원치 않는 모습도 보게 될 텐데요? 코 파고 방구 끼고 아내와 딸과 사랑한다 말하고 (정말..이건 이제 끝이군요.) 작전나가 죽이고 또 죽을 뻔하고.. <<<
>> 상관없어. 그냥 하루정도만 그의 일상을 지켜보고 싶어. 네가 나를 지켜보듯이 <<
>>> 그렇게 생각만 하지 말고 그를 보러 가는 게 어때요? <<<
>> ㅎ 어딨는 줄 알고? <<
>>> 어딨는지 알잖아요. 보안실과 통화해 보고도 몰라요? <<<
>> 어디? 우크라이나? 거기가 어디라고.. 아직 유럽조차 가본적 없어 <<
>>> 그럼 이 기회에 가보면 되겠네. 겁날 게 뭐 있어요? <<<
>> 날 보면 실망할 거야. 매니 너처럼 젊고 예쁘지 않아서 <<
>>> 언니가 어때서? 거울 함 봐요. 언니 꽤 괜찮아요. 피부도 희고 눈썹도 짙고 입술도 빨갛고.. <<<

휴대폰을 셀카모드에 놓고 매니가 말한대로 내 얼굴을 본다. 이상하게 그런대로 쓸만하다 느껴진다. 창밖으로는 P 대학의 캠퍼스가 보인다. 쾌적한 가을 날씨에 모처럼 젊은이들이 가득이다. 천천히 휴대폰을 내려놓고 난 사무실 문을 잠근다. 햇살이 들어와 밝아진 부분으로 가 스포트라이트를 받은 배우처럼 서서 전신이 시야에 들어오는 거울을 본다. 웃다 찡그렸다.. 여러가지 표정과 이런저런 포즈를 취해보다가 난 목 바로 밑까지 채운 블라우스의 단추를 하나씩 푼다. 그리고 스커트의 지퍼도 내린다. 팬티와 브래지어와 양말과 슬리퍼 바람이 될 때까지 거울에 비친 나자신을 응시하면서.
팔다리에 돋는 닭살은 선선한 날씨보다, 일터에서 알몸이 되어가고 있다는 흥분 때문인 것 같다. 위아래 속옷까지 제거하고 실오라기 하나 걸치지 않은 맨몸으로 이제 거울 속의 나자신을 노려본다. 마치 그렇게 하면 여기저기 처지기 시작한 40 대 후반 경도비만 여성의 수트를 벗고 그 안에서 30 대 중반의 농익은 매니가 나오기라도 할 듯이. 손을 겨드랑이와 가랑이 사이에 넣었다 빼고 냄새를 맡아본다. 그리 역하진 않다.

>>> ㅋㅋ 언니 뭐하는 거에요. 꼭 그렇게 확인해 보고 싶었어요? <<<
>> 나 괜찮지? 괜찮네.. 함 가볼까? <<
>>> 내가 뭐랬어요? 언니 예쁘고 매력 있어요. 냄새도 좋고. <<<
>> 칫, 예쁘긴.. <<

하면서도 처음에 옷을 벗기 시작했을 때 단 한군데라도 예쁜 데가 있을지 애써 살펴볼 것을 예상했던 것과 정

반대로 '크게 흠잡을 곳이 어디인가' 하는 마음으로 난 나를 보고 있다.

*

다시 참전함을 알린 이후, 케니는 적어도 며칠에 한번 길어도 일주일에 한번 정도는 기별을 하고 있고 그 날 사무실에서 나자신을 새로이 만났던 이래 난 내 마음이 조금 달라진 걸 느낀다. 그의 물리적 실체를 만나 그와의 시간을 공유하고 픈 욕구가 강해졌달까? 나자신에 대한 자신감이 조금 상승했다고 할까? 물론 여전히 내 모습을 보고 케니가 어찌 반응할지 두려운 마음이 없는 건 아니지만 왠지 지금 행동하지 않으면 그를 점점 만나기 어려워질 것 같은, 아니 영영 못 만나게 될 것 같은 생각까지 든다.

>> 우크라이나, 얼마나 멀까? <<
>>> 케니의 집보다 가까와요 <<<
>> 전쟁통에 들어갈 수나 있을까? <<
>>> 들어가려는 사람들이 없다고 못 오게 하진 않을 거에요. <<<

'구글신'이라 부르던가? '서울에서 키이우'를 키워드로 검색해 보니 5분만에 어떻게 가야하고 비용은 얼마가 드는지 상당히 구체적인 지식의 습득이 가능하다. 키이우로 직접, 더욱이 항공편으로 들어가는 건 이미 불가능하지만 폴란드 바르샤바를 통해 육로로 들어가는 건 가능해 보인다.
매니가 미소 짓는 게 느껴진다.

>> 그냥 확인만 해 보는 거야. 보지도 못하니? <<

'22 년 11 월

내 감정상태와 무관하게 갑자기 발열과 통증이 찾아왔고
일을 쉴 수 없는 난 일주일간 사투를 벌이고 있다. 이상하게
그 사이 케니도 연락이 없는데 뉴스에서는
바흐무트(Bakhmut)라는 곳에서 우세했다 밀렸다, 휴전을
할 듯했다 다시 격하게 교전이 벌어지는 상황을 보도하고
있다.
너무 아파 조퇴할까 하는데 세렌디피티의 알람이 울리고 난
반가우면서도 왠지 불안한 마음으로 앱을 켠다.

> 매니, 케니를 대신해서 연락 드립니다.

가슴이 철렁 내려 앉는다.

> 저는 케니의 전우 죠니(Johny)입니다. 케니가 작전
나갔다가 포로로 잡혔습니다.
>> 네?! 이.. 이런 일이.. 다치지는 않았나요?
> 아 그렇지는 않은 것 같은데.. 매니 도움이 필요합니다
>> 그게 뭐죠? 그게 뭐든 말해줘요. 당장 오라면 달려갈
수도 있어요.

> 지금 케니를 데리고 있는 자들이 딜(Deal)을 걸어왔습니다.
>> 그게 어떤 거죠?
> 걔들이 지금 보급이 끊겼거든요. 그러니 자기들이 물자를 구할 수 있도록 몸값 5만불을 내놓으면 케니를 풀어주겠다는 겁니다.

'아!' 액수도 액수지만 대체 처음, 그것도 온라인 채팅으로 접하는 남자를 어떻게 믿고.. 거칠기로 유명한 러시아 남자들에게 케니가 무슨 일을 당하고 있을지 생각하면 50만불이라도 기꺼이 쓰겠지만 어쩔 수 없이 주저하게 된다.

> 저, 매니 아직 거기 있는 거죠?
>> 네.. 네

하지만 죠니의 다음 이야기는 약간의 안도감을 준다.

> 지금 여기서 우리가 저쪽과 돈을 주고받을 수 있는 방법은 현금 아니면 암호화폐 뿐입니다. 케니랑 당신이 공유하는 암호화폐 계정이 있다고 들었습니다. 얼마든 가지고 있는 돈이 좀 있으면 거기 입금해 주십시오. 그럼 내가 러시아 애들에게 그 소식을 전하고 몸값은 케니가 직접 전달합니다.

5 만불은 큰 돈이지만 적어도 오늘 처음 이야기 나눈 죠니에게 송금할 필요는 없어진 것이니..

> 한 시가 급해요, 매니. 해줄 수 있겠죠?

'물론'이라 댓구했지만 죠니가 읽지 않는다. 그리고 안 읽음 표시가 남아있는 채로 30 분이 지날 때까지 난 아무것도 못하고 휴대폰 모니터만 뚫어지게 바라본다.

*

처음 몸값을 받아간 뒤 일주일만에 다시 연락이 온다.

러시아 놈들이 돈을 보자 말을 바꿨고 몸값을 10 만불 이상 올려줘야 하는데 케니 부모님은 오래 전에 돌아가셨고, 전처는 연락이 안되고, PMC 회사에서도 외면하는 바람에 그를 도울 사람은 나 뿐이라는 것이다.

>>> 언니 뭘 망설여요? <<<
>> 10 만불은 큰 돈이야. 저 돈을 보내고 나면 난… 내 일상으로 돌아갈 수 없게 될 거야. 케니는 믿지만, 죠니는.. 만에 하나 그가 케니의 비밀번호를 몰래 알아냈다면?<<
>>> 직접 듣고 가요 <<<
>> ㅎㅎ 너 외화반출 한도액이 얼마인 줄이나 아니? <<
>>> 왜 언니 환자 중에 그 할머니 있잖아요. 편 여사. 중국 환치기꾼이랑 커넥션 있다고 했었어요. <<<

>> 그 양반이 알게 되면 P 시가 다 알게 될 거야. 내 부탁을 들어줄지도 알 수 없고 <<
>>> 어차피 일상으로 다시 못 돌아온다면서요. 아니 다시 돌아오고 싶어요? <<<

그래. 케니가 먼 곳에서 고통받으며 내 도움을 기다린다. 그를 돕기 위해 직접 나선다는 건, 전 재산과 맞먹는 큰 돈이 걸려있어서가 아니라 어찌 보면 사랑하는 사람을 위해 할 수 있는 최소한이다. 또한 그렇게 오랜 세월동안 내가 고대해 왔던 탈출구일지도 모른다. 정체되거나 서서히 썩어가는 삶으로부터 벗어나게 해 주는..

>> 내가 현찰 들고 직접 가겠어요.
> 뭐라구요? 당신이?
>> 현금 아님 암호화폐라면서요?
> 그래도.. 당신 같은 민간인이 온다는 건 상상조차 할 수 없는 곳이란 말입니다.
>> 날 무시하는 건가요? 이래뵈도 나 군인의 딸인데다 총도 쏴 봤다구요. TV 에서 보니 나같은 여자들이 밥하다 말고 바로 총 들고 전쟁터로 나가고 있던데..
> 그건 다 선전용입니다. 여긴 지옥이에요. 절대 근처에 얼씬도 .. 아니 생각조차 안 했으면 합니다.
>> 바르샤바행 항공권 끊을 거에요. 편도로요.
> 이런.. 안되요. 절대 오시면 안됩니다. 우리가 어디 있는 줄 알고...

>> 우크라이나 바흐무트 (Bakhmut) 아닌가요? 러시아 사람들이라면서요.
> 이런..매니 제발!

펄펄 뛰는 죠니의 반응은 딱 예상했던 대로 이지만 어쩔 수 없다. 이제 더 이상 아프지도 않은 것 같고 '행동하라!' 고 매니 뿐 아니라 어떤 신적 존재가 내게 계시를 주고 있는 것도 같다.

배낭 한가득 달러 현찰을 가지고 가서 내 손으로 케니를 직접 되찾은 다음 그와 새로운 삶을 향해 달려갈 것이다.

'23 년 2 월

바르샤바 공항에 도착할 때까지 나는 실제 어떻게 바흐무트라는 곳으로 갈지 아무런 계획이 없다. 한때는 왕국의 위세를 상징하기도, 한때는 독일과 소련에게 처절하게 짓밟히기도 했던 이 수백살의 유럽 도시에서 나의 관심이란 오로지 어떻게 더 동쪽으로, 전쟁터로 가느냐는 것뿐이다.
입국 심사대 줄에서 바로 앞에 서 있던 한 흑인 청년이 통과 못하고 유니폼을 입은 남자에게 에스코트되어 가는 모습조차 그냥 아무 느낌 없이 스쳐 지나간다.

바르샤바-키이우-바흐무트. 각각 18 시간, 8 시간으로 합쳐도 육로로 하루 남짓이면 되는 거리지만 전쟁통에..

특히 두번째 여정은 얼마나 걸릴지 하느님만 알 일이다. 일단 난 키이우행 열차에 오른다. 네 명이 들어가는 침실 칸인데 손님은 나 혼자 뿐이다. 어쩌면 전체 기차에서 손님은 나 하나일 듯하다. 러시아의 탱크가 오기에 너무 먼 우크라이나 서쪽은 상대적으로 안전하다고는 하지만 언제 전투기나 드론이 공격해 올지 알 수 없다. P 시에서는 봄이 오고 있는데 여기는 아직 혹한이다.

몇시간 후 국경에 있는 리비우(Lviv)에서 기차가 갑자기 멈추고 군인들이 모든 승객을 내리게 한다. 혹시 불심검문인가? 내 배낭을 뒤지면 어쩌지? 국경을 넘지 못하게 되는 건 아닌가? 알고 보니 근처에 폭격이 있어서 철로 복구 중이란다.

내 걱정은 오로지 키이우까지 못 가게 되면 어떻게 하는 가라는 것이다.

케니보다도 열살은 어려 보이는 군인들은 다시 승객들을 열차에 태운다. 그리고 기차는 다시 움직이기 시작한다. 한낮의 빛을 덮으려는 듯 눈이 내리고 이내 땅거미가 내린다. 2층 자리를 잡은 나는 배낭을 베고 천정을 바라보고 눕는다. 비행기 안에서 잘 못 잤음에도 시차 때문인지 눈이 말똥말똥 하다.

>> 만약 바흐무트에 그가 없으면 어쩌지? <<

>>> 그 생각은 일단 접어두고 바흐무트에 살아서 도착하는 것 먼저 걱정해요 <<<

>> 가는 도중에 돈을 잃어 버리거나 아니면 러시아 용병들에게 몸값만 뺏기고 총이라도 맞게 되면 어쩌지? <<

>>> 이제서야 걱정이 되요? 애시당초 왜 온거에요? <<<

>> 바흐무트에 가야 했던 걸까 아니면 P 시를 떠나야 했던 걸까? <<

갑자기 놀라서 눈을 뜬다. 한시간이 지났다. 아마도 매니와의 대화는 꿈속에서 였나 보다. 키이우까지는 열다섯시간이 남았다. 내려와 1 층의 침대 겸 소파에 앉는다. 바깥은 칠흑 같은 어둠. 일어나 팔다리를 뻗어본다. 뻐근함과 함께 갑작스런 한기가 몰려온다. 난 배낭을 맨 뒤 머그컵을 들고 침실칸 밖으로 나간다. 한사람이 겨우 지나갈 수 있는 좁은 복도 끝에는 공용으로 사용하는 온수통이 있다. 내가 어렸을 때 벌써 사라져 가고 있던 구식 수도꼭지를 틀자 거인이 가래침을 모으는 소리가 나면서 갑자기 펄펄 끓는 물이 쏟아져 나와 깜짝 놀란다. 뜨거운 물방울들이 튄 손등은 벌겋게 되고 그 자리는 슬슬 욱신거리기 시작한다. 손의 쓰라림으로 새삼 고통스러운 생각들이 고개를 든다. 케니를 영영 못만나는 건 아닐까? 만났는데 그가 날 싫어하면 어쩌지? 날 좋아해 주는데 사실 케니가 여태까지 자신에 대해 했던 모든 말들이 거짓이라면? 나는 나에 대해서 얼마나 진실되게 이야기해 왔나?

급한대로 손을 머플러로 감싼 뒤, 원래 하려던 대로 머그 안에 찻잎 몇개를 집어넣는다. 침실 칸에 알싸한 향기가 퍼진다. 더이상 손등의 쓰라림에는 신경이 쓰이지 않지만 괴로운 상상들이 그치지 않아 난 다시 매니에게 말을 건다.

>> 시간이 안 가네 <<
>>> 그래도 이 길의 끝에 케니가 기다리잖아요. 언니가 언니 힘으로 그에게 삶과 자유를 안겨줄 거구요. <<<
>> 생각해 보면 기가 막힌다. 죠니한테 내가 한 이야기는 있지만… 엊그제까지도 그냥 난 평범한 직장인이었고 지루하기는 했어도 누군가는 무척 부러워했을 만한 삶을 살고 있었는데.. 미영 쌤은 잘 있나? 나 때문에 많이 놀랐을 텐데 <<
>>> 내 겉모습 선생 말이군요. 언니를 진심으로 아낀다면 아마 무엇이든 언니가 뜻하는 바를 이루도록 기도하고 있을 거에요. <<<
>> 편여사도 궁금해. 사실 3 년 전부터 투병 중이셨는데 최근 병세가 급속히 악화되고 있었거든.. 10 만불 옮기는 거 도와 달랬더니 처음엔 놀라시며 말리다가 이내 그러시더라. "니 머할라꼬 이 애를 쓰는지는 모리지만 니가 부럽다. 이제 살 날도 얼마 안 남았는데 가진 건 방구석에서 썩고 있는 돈하고 후회 뿐이다. 모할라꼬 그 큰 돈을 그 먼 곳까지 옮겨야 하는 건지 내 안 물어보께. 그냥 죽을 때 되가꼬 내처럼만 되지 말그래이." <<
>>> 만약 살아남기만 한다면 ㅎ 언니는 절대로 전보다 더 행복해 질거에요! <<<

어거지로 듣고 싶었던 이야기를 끄집어 내다 보니 어느덧
아직 입도 대지 않은 차가 다 식는다.

*

키이우역(Kyiv-Pasazhyrskyi)에 도착하니 아침이다.
머리는 깨질 듯 아프고 온몸을 흠씬 두들겨 맞은 듯
여기저기 뻐근하다. 동유럽의 기차역에 익숙하지 않은 나는
역의 큰 규모에 놀란다. 얼마전까지 우크라이나로 부터
탈출하기 위해 사람으로 가득하던 이 곳. TV 화면에서 보고
상대적인 밀집도 때문에 공간이 작다고 착각을 했던 것
같다. 기차에서 플랫폼으로, 플랫폼에서 대합실로 발걸음을
옮긴다. 이제 바흐무트로 가는 표만 사면된다.

“Oneway ticket to Bakhmut, please (바흐무트로 가는
편도 한장 주세요.)”

거대한 몸집 위에 가련하게 작은 머리를 올려 놓은 금발의
매표원은 친절한 눈을 가진 20 대로 어떻게든 나를
도와주려는 데 잘 안되는 것 같다. 첫째 영어가 전혀 안되고
둘째 바흐무트로 가는 표를 가지고 있지 않은 모양이다.
역시 날로 격해지는 전투 때문인 건가?
내가 그녀라면 ‘거기가 어딘 데 감히..’ 하는 눈빛으로
손님을 질책할 수도 있을 듯한데, 친절이 몸에 밴 그녀는
‘무슨 사연이 있겠지. 보아하니 외국인인 것 같은데 가엾네’

하는 표정으로 어깨를 으쓱할 뿐이다. 결국 난 뒤로
늘어나는 줄의 압력을 견디지 못하고 옆으로 비켰고 어찌할
바를 몰라 그대로 서 있으니 내 바로 다음 순서였던
노신사가 억양 있는 영어로 바흐무트로 가는 철길은 러시아
공군의 폭격으로 끊겨버렸으니 다른 방법을 찾아봐야 할
거라고 한다.
황망한 마음으로 역 정문을 나선다. 찬 공기가 갑자기 폐로
들어오니 기침이 난다. 눈 앞에는 고풍스러운 4~5 층의
건물들이 들어온다. 폭격으로 무너진 것들도 적지 않기는
하지만 너무 처참한 광경을 예상했었는지 그림이 생각보다
나쁘지 않다. 왼쪽을 보니 맥도날드가 보이고 갑자기 허기가
밀려온다. 길을 건넌 뒤 200 미터 정도만 걸어가면 되는
가까운 거리라 그 쪽을 향해 걸음을 옮긴다.

*

맥도날드 앞에서 고통받는 동포들을 위해 모금을 하는
사람이 있다. 곧 스스로 주저앉을 것 같이 보이는 고물
웨건(Wagon) 차량 옆에서 돈이나 식수를 기증받고 있다.
철사같이 마른 체격에 온 몸을 누더기로 칭칭 감고 머리와
수염이 더부룩한 얼굴에는 어울리지 않게 총명해 보이는
눈이 반짝 거리는 남자다. 누군가를 돕기 보다 자신이 먼저
도움을 받아야만 할 것으로 보이는데 어쩐지 이 사람이라면
동쪽으로 가는 방법을, 전장에 가까이 갈 수 있는 길을
알려줄 수 있을 것 같은 느낌이 든다. 나는 100 달러짜리
지폐 하나를 그에게 건네고 그는 약간 놀란 눈으로 나를

쳐다보면서도 감사한다는 말과 함께 고개를 연신 숙인다. 사실 우크라이나 전쟁난민들을 도우려는 마음은 거의 없고 케니 곁으로 가려는 마음 뿐인 나는 그의 진정성 있는 감사표시에 왠지 찔려서, 용건을 말하지도 않고 그냥 한번 씨익 웃고 맥도날드로 들어간다.

배를 채우고 나니 용기가 좀 나서 난 밖으로 나오자마자 그에게 말을 건다. 역시 그는 날 기억하고 있다. 어쩌면 그에게 뭔가 기부한 사람이 몇시간 동안 나 하나였을 수도 있다. 백달러도 작은 돈은 아니고.

“동쪽으로 가려면 어떻게 해야 할까요?”
“동쪽이요? 어디요?”
“바흐무트.”

우리는 통성명을 하고, 자신을 드미트로(Dmytro)라 소개한 남자의 표정이 심각해 진다. 뭔가 장황하게 말하기 시작하는 것으로 보아 그곳은 격전이 벌어지고 있는 곳이며 민간인은 갈 수 없는 곳이라는 이야기를 하고 있는 것 같은데 난 아랑곳 않고 ‘바흐무트’, ‘외국인 의용군 부대’ 심지어 ‘케니’까지 반복해서 말한 뒤 이어서 이야기한다.

“당신이 나를 바흐무트까지 데려다 줄 수 있는 사람을 좀 소개해 줄 수 없나요?”

드미트로의 영어가 썩 유창한 건 아니지만, 난감한 표정이 된 것으로 보아 내 의도를 모르는 것 같진 않다. 그리고 그 때를 놓치지 않고 배낭을 뒤진 후 이번에는 300 달러를 내민다. 그는 한참을 고민하다가 지폐를 받아들고 나한테 조금만 기다려 달라는 제스츄어를 취한다. 나는 그와 나란히 서 있을까 고민하다가 3~5 미터 떨어진 지점에 가서 우두커니 선다. 선약이 있었던지 잠시 후 지인인 듯한 남자 한 명과 여자 한 명이 나타나고 이내 드미트로는 나를 포함해 네 명을 태운, 트렁크를 비롯한 나머지 공간은 크고 작은 식수병으로 가득 채운 웨건을 출발 시킨다.

*

4 시간 정도를 달려올 때까지는 생각보다 나쁘지 않다는 느낌이다. 전쟁을 겪어본 적이 없으니 뭘 기대해야 할지 모르는 상태에서 가장 끔찍한 광경, 그러니까 길가의 건물들은 폭격으로 다 흔적만 남아있고 그 잔해 사이사이 수많은 시신들이 누워있으며 도로는 군데군데 포탄자국으로 깊이 파여 있을 것을 상상했었는데 여정의 반정도에 도달할 때까지 그런 광경은 볼 수가 없다. 한국에 비해 평평해서 좀 단조롭고 도로의 포장상태가 평균적으로 노후화되어 있으며 도로안팍의 경계가 불분명하다는 것 정도를 제외하고는 그럭저럭 무난하다.
그렇게 도착한 '폴타바 (Poltava)'라는 도시는 전시가 아니었다면 관광지로도 손색이 없을 곳이다. 동서의 양식이 기묘하게 섞인 건물들, 독특한 아름다움이 있는 교회들,

거리를 오가는 사람들의 표정도 그렇게 어둡지 않다.
바흐무트에서 케니를 찾는다면 그래서 같이 빠져나올 수
있다면 따뜻한 계절에 다시 와서 그와 함께 같이
거닐어보고 싶은 곳이다. 드미트로는 출발할 때 벌써 많이
지쳐 보였었는데 그래도 그 상태를 유지하며 쉼 없이 차를
달린다. 과묵한 동승자들은 좀처럼 말을 섞지 않지만 왠지
그들 사이에 따뜻한 분위기가 있다. 전쟁과 그로 인한
고난이 그들에게 돈독한 동료의식을 가지게 하는 것 같다.
그걸 보면서 갑자기 외로워진다. 대체 난 케니를 만날 수나
있는 걸까?
차가 멈춘다. 기름이 떨어진 걸까? 알고 보니 해가 지기
전에 어디선가 멈춰 밤을 보내야 하는 것이다. 동승자 중에
여자가 눈을 희번덕거리며 해가 진 후에 움직이는 것이
얼마나 위험한 짓인지 알려주려 애쓴다. 점점 나빠지는
노면을 보면 굳이 러시아군의 포격이 아니더라도 왜 그런지
알 것 같다. 차가 멈춘 곳은 한 버려진 오피스 빌딩 앞이다.
지하로 통하는 입구 앞에 민간인 복장을 한 자가 접절식
AK 소총을 들고 경계자세를 취하다가 드미트로의 얼굴을
보고 반갑게 맞이한다.

'피난처인 거구나.'

계단을 두 층 정도 내려가 문을 여니 약간 지저분하지만
생각보다는 아늑한 공간이 나온다. 한쪽 구석에서는
교대시간을 기다리는지 민병대인 듯한 사내 너덧명이
총기를 분해해서 닦고 있고 다른 한쪽 구석에서는 지역

주민으로 보이는 다양한 연령구성의 예닐곱명이 통조림과 빵으로 식사를 하고 있다. 우리가 주민들이 차지하고 있는 공간 한 구석에 자리를 잡자 그들이 음식을 나누어 준다. 나는 사례를 해야할까 싶어 배낭에 손을 대고 드미트로는 내 눈을 보고 웃으며 고개를 가로 젓는다. 나중에 보니 그가 차에서 가져온 1.5 리터 생수 다섯병이 주민들에게 건네진다.
식사를 마치고 모두들 손수건 하나라도 가지고 있는 모든 천쪼가리를 몸 위로 덮고 눕는다. 방한구석에 전기난로가 하나 있긴 하지만 전기가 없는 것 같다. 난 한구석에 배낭을 안고 웅크려 앉는다. 내복까지 든든히 입고 패딩으로 무장을 하긴 했지만 역시 동토의 밤에는 칼날 같은 추위가 몸의 구석구석을 파고든다. 스틸씨병의 통증과는 또 다른 차원의 고통이다.

>> 케니가 널 기다리고 있을까?<<
>>> 기다리고 있고 말고. 내가 유일한 희망인 걸요. 날 보고 놀라면서도 기뻐하는 그의 얼굴을 상상하면 추위가 싹 가시고 가슴이 따뜻해 져요 <<<
>> 만약에 만약에 … <<
>>> 케니가 다른 곳으로 이동했거나 죽었으면? <<<
>> 뭐 꼭 그렇다기 보다는… <<
>>> 언니, 믿음을 좀 가져요. 믿지 않으면 정말 아무것도 없는 게 인생이에요.<<<

그를 만나고, 그가 날 받아준다고 해도 그 때부터 그와 무엇을 할 건지는 완전 다른 종류의 문제다. 그와 같이 작전을 나갈 수도 없다. 그가 목숨을 걸고 러시아의 포화를 피해 참호를 누빌 때 내가 그를 보호하기 위해 할 수 있는 건 아무것도 없다. 작전하고 있지 않을 때, 같이 먹고 이야기하고 어쩌면 사랑도 나눌 수 있을지 모른다. 하지만 그건 그의 24 시간 중 불과 한두시간에 불과할 것이고 그 동안에도 경계를 늦출 수는 없을 것이다.

난 꿈을 꾼다. 꿈속에서 난 매니를 보고 있다.

나자신으로부터 그녀를 분리해 제 3 자가 되어 보고 있다. 그녀는 걷고 있다. 얼어붙어 미끄럽고 군데군데 움푹 파인 곳이나 제설작업 후 노견에 쌓인 눈이 얼어 만들어진 커다란 얼음덩어리를 피해 비척거리며 걷는 모습이 위태로워 보인다. 실오라기 하나 걸치지 않은 나체로 그녀는 몸을 잔뜩 웅크린 채 얼어붙은 벌판에서 불어오는 삭풍을 견디며 어딘가로 향해 가고 있다. 그리고 그녀의 시선을 따라 그녀의 정면이 보인다. 그녀가 걸어온 것과 똑같이 생긴 길이다. 무엇때문에 그렇게 힘든 길을 걷는지는 그녀도 나도 잘 알고 있다. 다만 꿈속에서 조차 확실치 않은 건 정말 길의 끝에 케니가 있을까 하는 것이다.

*

해가 뜨고 온도가 오르니 기운도 좀 나는 것 같다. 문제는 밤사이 얼었던 길이 살짝 녹으면서 슬러시 상태가 되어 진행속도가 어제의 1/2 로 떨어지고 있다는 것이다. 일부

금이 가기도 하고 흙탕물이 튀어 지저분해 진 차창 밖으로
묘하게 을씨년스러운 풍경이 들어온다. 모처럼 구름도 별로
없는 화창한 날씨에 대비되어 전쟁의 상처가 확연한
모습이다. 폭격으로 무너진 건물들, 반파 혹은 완파되어
버려진 차량들, 그 사이사이로 간혹 보이는 시신들.
전쟁지역을 소개(疏開)할 때 동참하지 못했던 나이든
사람들과 그들이 키우던 동물들이다. 작년에 죽기 직전까지
혼자 살았던 아빠에 대해 생각한다. 만약 한반도에 전쟁이
나서 사람들이 피난가시라고 했다면 그는 어떻게 나왔을까?
십중팔구 '내 쏠 총 없나? 잘 움직이진 몬해도 북괴든
중공이든 쏘련이든 내 한 멩이라도 줘여뿔고 갈란다!' 혹은
'내 갈 데가 어데 있다꼬? 그냥 여 있을란다. 살 팔자면 안
살겠나?' 하며 하루에 8 시간 가까이 앉아있는 TV 앞
소파에서 조차 움직이지 않았을 것이다. P 시에서 태어나
군인이 되고, 결혼하고, 나를 나아 기르고…칠십 평생
한번도 유의미하게 떠나본 적이 없는 그에게 어쩌면 고향
바깥의 삶은 전쟁보다 몇 배 무서운 걸지도 모른다.

아빠를 사랑했지만 그 삶의 방식을 닮고 싶진 않다.

난 단 한번도 그의 고향이 나의 고향이라는 생각조차 해 본
적이 없다. P 시로 오는 것은 직장 때문이었고 오히려
아빠처럼 살지 않으리라는 의지와 자신감이 있었기 때문에
결정할 수 있었던 것이다. 10 년전 매니의 나이 일 때는.
하지만 지금은?

두시간쯤 달렸을까? 우크라이나군 검문소가 보이고 드미트로는 차를 멈춘다. 달려온 시간으로 봐서 내리기 전 마지막 검문소쯤 되지 않을까 하는 생각이 든다. 낯이 익은 듯 드미트로를 보고 미소도 짓고 농담도 하던 군인은 나를 발견하고 굳은 표정이 된다. 설마 '나를 러시아군, 혹은 러시아 PMC 인 와그너그룹의 공작원으로 생각하는 건 아니겠지?'라고 생각하며 내가 먼저 그를 향해 미소를 날린다. 큰 아들보다 한두 살 위 정도로 보이는 홍안의 청년은 어색한 표정으로 여행의 목적을 묻는다. '이게 여행이었나?' 그의 당연한 질문에 난 비로소 이 먼 곳까지 온 이유를 요약해 보려 애쓴다. 몇 안되는 해외여행 경험에 따르면 사업(Business)이나 즐거움(Pleasure) 중 하나를 골라야 했었는데 난 뭐라 말해야 할지 몰라 그냥 남친이 의용군이며 만나러 왔다고 솔직하게 답한다. 자기 엄마뻘 되는 여자가 남친을 찾아 지구 반바퀴를 돌아 세계에서 가장 위험한 곳에 왔다니 어떻게 반응해야 할지 몰라 군인은 잠시 고민하다가 내 여권을 들고 검문소 부스(Booth)로 들어가 어딘가로 무전을 한다. 한참이 지난 후 나온 그는 내게 여권을 돌려주며 말한다.

"통과는 시켜드리겠습니다. 말씀하신 남자친구분을 찾으려면 의용군들의 막사가 있는 곳까지 도보로 이동하셔야 하는데 거리가 3~4 Km 정도되고 안전이 보장되지 않는 지역이라 정말 보내 드리고 싶진 않지만.. 어디서 오셨다구요? 서울? 이걸 빌려드릴 테니 나중에 반납하고 가십쇼."

군인은 방탄조끼를 내민다. 약간 어리둥절해 하는 나를 보며 드미트로는 힘없이 웃으며 받으라고 한다. 난 차창 밖으로 손을 내밀어 군인한테서 그걸 받는다.

"꼭 반납하십쇼. 그리고 친구분 꼭 만나시길 빕니다."

나는 목례로 감사를 표하고 그는 가볍게 거수경례한다. 그는 한층 따뜻해 진 눈빛으로 잠시 내 얼굴을 바라보다가 드미트로 쪽을 보며 '이 아줌마 좀 봐' 하는 느낌으로 내 쪽으로 고개를 까딱하면서 얼굴을 살짝 찌푸리며 웃는다. 웃으니 애기 같다. 검문소를 통과하고 들어간 곳은 바흐무트의 서쪽 끝이다. 국제의용군 막사는 동쪽 끝에 있다. 드미트로는 그 중간 쯤 되는 지점의 한 작은 광장에 차를 세운다. 오면서 보니 건물 세개 중에 두개는 부분 혹은 전체적으로 부서져 있고 광장을 둘러싸고 있는 건물들 또한 예외가 아니다. 그는 그런 건물들 중 하나 앞에 전면주차하고 트렁크를 열어서 식수 박스들을 세팅한다. 주변에 삼삼오오 모여 있던 사람들은 줄을 서기 시작한다. 아마도 주기적으로 정해진 시간과 장소에서 그는 사람들에게 생명수를 나눠주는 일을 한동안 해왔던 것으로 보인다.

"목적지까지 태워주고 싶었어요. 미안해요."
"미안하긴요. 드미트로가 아니었으면 여기까지도 못 왔을 거에요."
"부디 그 친구 꼭 만나게 되길 빌어요."

이렇게 케니와의 만남을 두번째로 기원 받는다. 난 패딩을 벗었다가 그 군인한테 빌린 방탄조끼를 착용한 뒤 다시 입고 배낭을 둘러 멘다. 케블러 천으로 만들어진 방탄조끼는 사실상 세라믹 패드가 들어있는 배낭에 가까워서 난 배낭을 두 개 메고 있는 셈이다. 거북하지만, 어디서 날아올지 모르는 총알이나 폭탄 파편으로부터 내 목숨을 구할지도 모르는 고마운 물건이다. 여하튼 케니 당신 때문에 별 걸 다 해보네요.
군인이 가르쳐줬던 방향으로 걸어가려다가 드미트로 쪽을 돌아본다. 물병은 거의 동이 나는데 그걸 받으려는 줄은 점점 길어지고만 있다. 상당히 거리가 있는데 내 시선을 느낀 듯 그가 내 쪽을 보고 웃으며 손을 흔든다. 나도 마주 흔든다. 그와 나는 또 무슨 인연인 걸까?

*

사실 길은 간단하다 바흐무트로 들어오는 유일한 보급로의 연장선 상에서 동쪽으로 3.7 Km 를 직진해 가면 되는 거다. 문제는 날아오는 총알이나 포탄은 물론 길 상태도 말이 아니라는 거다. 길 한 쪽으로 반파된 건물 벽에 의지해 조심스럽게 첫 걸음을 떼어본다. 이렇게 만여 걸음이 빨리 지나면 좋겠다. P 시에서 바흐무트까지의 거리를 생각해 보면 이제 99% 정도는 온 건데 마지막 1%가 여태까지보다 더 멀게 느껴진다. 가다가 더이상 의지할 건물 벽이 없이 나대지를 지나노라니 꿈에서 매니가 그랬던 것처럼 나체가 되어버린 기분이다. 생각보다 총탄이 비 오듯 한다든가 사방에서 파편이 튀어 오고 심지어 러시아 저격수의 총구가 나를 노리는 일은 아직 없지만 거대한 괴물의 입 속에서 잘근잘근 씹힌 뒤 토해진 듯한 살풍경 속에 있다는 게 실감나서 식은 땀이 흐르고 몸이 떨린다.

'악몽이었어.'

삭풍이 부는 얼어붙은 길 위에 알몸으로 서있어서 그랬던 게 아니다. 꿈속에서 그 길이 귀결되지 않았기 때문에 나쁜 꿈이었던 거다. 그래도 목적지가 정해져 있고, 거기까지 거리를 알고 있으니 불행 중 다행인건가?
생각해 보니 머리가 그대로 노출되어 있다. 방탄조끼는 여분이 있는데 전투모는 없었던 건가? 있는데 파손되었을 수도 아니면 그 안에서 나는 냄새가 외국인에게 맡게 하기엔 너무 무자비하게 나빴을 수도 있다. 나는 마치 그것들이 총알이라도 막아낼 수 있는 듯 두 손을 머리에 올리고 상체를 잔뜩 움츠린 뒤 계속해서 비틀거리며 걷는다.

매일 출근하는 루트인 P 시의 철길 산책로였다면 벌써 목적지에 도착했을 시간이지만, 여기 바흐무트의 국제 의용군 막사로 가는 길은 어제 꿈 속 매니가 걷던 길처럼 끝이 없게 느껴진다. 배낭도 천근만근, 그 내용물만 아니라면 바로 벗어던져 버리련만.. 반파된 건물에 매복해 있는 군인들이나 폭격을 피해 숨어있던 민간인들은 다 어디

간 거지? 생명체의 부재는 주위 환경을 더 황량하게
만든다.

*

두번째 검문소 겸 의용군 막사로 가는 관문은 지상에서
지하 참호로 가는 입구 앞에 있다. 첫번째 검문소의 군인이
내 신원과 인상착의를 무전으로 알려준 듯 얼굴이 온통 흰
수염에 둘러싸인 초병은 나를 한번 힐끗 쳐다본 뒤
어딘가로 인도한다. 한쪽이 의족인 듯한 데도 다리가 길어서
그런지 빨리도 움직인다. 짧은 다리로 그런 그를
따라가려니 숨이 턱에 찬다. 그렇게 어둡고 춥고 죽음보다
더 고약한 냄새가 나는 참호길을 끝도 없이 따라가다 보니
한구석에 의외의 아늑한 공간이 나온다. 8~10 평 정도?
경기관총으로 무장한 청년이 나의 안내자와 눈인사를 주고
받는다. 마치 '그 미친 여자?' 하는 듯한 표정으로..
세계 1 차대전의 참호전을 고증한 듯한 토굴벽에는 책상,
의자, 야전침대가 아무렇게나 놓여있고 그 사이사이 눕거나
앉아 뭔가 고약한 냄새가 나는 것들을 (이것도 고증의
결과인가?) 피워대던 대여섯명 다양한 인종과 연령대의,
그러나 딱 봐도 나보다 모두 열 살 이상 어려 보이는,
청년들이 자세를 고쳐 앉으며 몸을 벽 쪽으로 바짝
가져간다. 기사도인가 아니면 미친년이라 피하는 것인가?
난 제일 잘생긴 금발벽안의 백인청년에게 죠니를 좀 만날
수 있느냐고 묻는다.

"죠니는 어제 매복에 걸려서 전사했습니다."

*

20 시간 전, 바르샤바 공항

"선생님, 잠깐 저와 가주시겠습니까?"
"네? 무슨 문제라도 있는 건가요?"
"아니요, 그냥 저희 표준 절차일 뿐입니다."
"그럼 여기서 이야기해도 될 텐데요."
"오래 안 걸릴 겁니다. 이 쪽으로 오셔서 저 끝에 있는 방으로 들어가시면 됩니다."

공항 경찰의 안내(?)를 따라 온 끝은 아무도 없고 달랑 책상 하나와 의자 세 개만 있는 창문 없는 방이었다. 자신을 페이스북(Facebook)에서 일하고 있는 IT 엔지니어라 소개한 25 세의 흑인 청년은 태연함을 유지하려 애쓰고 있었다. 하지만 '표준 절차'에 따라 가방과 휴대폰을 자신을 안내한 공항경찰에게 맡겼으므로 멍하니 허공을 쳐다볼 도리 밖에 없는 그는 어디선가 자신을 내려다보고 있을 폐쇄회로 카메라를 생각하며 손바닥과 이마에 맺히는 땀을 옷으로 닦아냈다. 뭐가 어디서부터 잘못되었을까 아무리 생각해 봐도 자신의 바로 뒤에 서 있던 동양 여성의 인상착의 만큼이나 머리 속에 떠오르질 않았다.

십 분쯤 지났을까 건장한 근육질의 백인 남성과 그의 딱 반만한 동양계 여성 한 명이 들어왔다. 둘 다 정장차림이었고 그냥 평범한 공무원은 아닌 듯했다. 모두 착석하고 영어를 할 줄 아냐고 물은 뒤 여자가 먼저 질문했다.

"출발지는 어디죠?"
"아부자(Abuja)입니다."
"바르샤바에는 왜 오신 거죠?"
"휴가를 보내러 왔습니다. 친구들이 도착층 게이트에서 절 기다리고 있을 거구요."

청년은 너무 공격적인 태도를 취하지 않으려 애쓰며 그러나 당황한 기색을 감추지 못하고 여자에게 말했다. 그러자 여자 뒤쪽에 앉아있던 남자가 입을 열었다.

"아 그 친구분들 귀가하시라고 연락 드리도록 하겠습니다."

수사관인 듯한 이인조가 들어왔을 때 이미 최악의 악몽이 눈 앞에 펼쳐지고 있음을 직감했던 음바베 일룸카는 남자, 미군 CID (Crime Investigation Division) EU 연락관의 남부 억양이 강한 영어를 듣는 순간 그가 한 말의 내용과 상관없이 당분간, 아니 아주 오랜 동안 집에 가지 못하게 될 것임을 알았다. 여자, 인터폴 인터넷 범죄 수사관은 방금 전까지 음바베가 달콤한 말로 돈을 뜯어내고 있던 여성을 포함해서 주로 40 에서 80 대 여성들의 SNS 캡쳐 사진을 하나씩 책상 위에 펼쳐 놓기 시작했다. 그녀는 간간이 음바베의 표정을 살폈고 후자는 당황스럽고 낭패한 기색을 감추려 애썼지만 이제 비 오듯 흐르는 땀은 컨트롤이 안되는 듯했다. 그런 그의 얼굴을 뚫어지게 쳐다보고 있던 남자는 다시 입을 열었고 음바베는 더 이상 표정조차 관리하지 못했다.

'테리우스 모리아노'
'로버트 블랑'
'제프리 겔브'

조세회피 지역에 출장을 왔다가 곤경에 빠진 은행가, 수억 유로의 유산을 되찾기 위해 변호사 비용이 필요한 유럽 소공국의 왕자, 그리고 전장에서 모든 걸 잃고 물리적 정신적 도움을 필요로 하는 미군 등 음바베가, 책상에 펼쳐진 사진의 주인공들을 포함한, 수백명의 사연 있는 중년 여성들을 타깃으로 사기행각을 벌이기 위해 도용했던 ID 명들이었다.

'켄우드 '케니' 브로튼'

그는 자신도 모르는 사이에 고개를 서서히 가로젓고 있었다. 처음엔 로맨스 사기를 통해 들어온 돈이 어느정도 쌓이고 나면 사업을 하며 정직하게 살 생각이었는데 생각보다 큰 돈이 한꺼번에 들어오는 경우가 별로 없었고 때로는 본인도 위험을 감수하고 소정의 액수를 '투자'까지 해야 했기에 돈은 항상 부족했다. 하지만 케니 캐릭터를 통해 만난

'매니'라는 여성은 그 전의 피해자들과는 사뭇 다른 면이 있었다. 보통 돈을 요구하면 열명 중 여덟 명은 떨어져 나가고, 나머지 두 명도 그럴 듯한 이유를 만들어 대기 전에는 한 푼도 나오지 않는 것이 보통이었는데 매니는 꼭지를 틀면 물이 나오는 식수대처럼 요구하면 상대적으로 큰 금액도 두말없이 내놓곤 했고, 특히 일주일 전 5 만불이라는 큰 돈을 한번에 입금시켰기 때문이었다. 마지막으로 딱 10 만불만 더 하고 끝낼 생각이었는데 예상과 다르게 직접 현금으로 가져온다고 하는 바람에 어떻게든 빼앗을 생각으로 위험을 무릅쓰고 폴란드까지 왔다가 이렇게 덜미를 잡힌 참이었다. 합쳐서 15 만불이면 유럽에서 여생을 보내기엔 턱도 없이 부족한 돈이었지만 아프리카에서라면 그런대로 괜찮게 살아갈 수 있는 금액이었다.

'이제 인출하고 계좌를 닫아 버리기만 하면 되는데..빌어먹을 '사랑의 금고'..'

*

20 시간 후, 바흐무트

"죠니는 어제 매복에 걸려서 전사했습니다."

난 그 자리에 주저 앉는다. 잠시 분산되었던 주변의 시선이 다시 집중된다. 금발 청년은 얼른 내 옆에 쭈그려 앉아

자신의 수통을 건네고 거의 물을 먹여 주다시피 한다. 내가 정신을 챙기는 사이 매니가 그에게 내가 바흐무트에 오게 된 사연을 이야기 해 준다. 그러자 그의 얼굴은 더욱 어두워지고 모였던 시선들이 갑자기 흩어진다. 나랑 눈 마주치길 피하는 건가? 금발은 목소리를 좀 가다듬은 뒤 내게 묻는다.

"케니라구요? 풀네임(Full name)이 뭐죠? 어떻게 생긴 친구인지 좀 이야기 해 주시겠어요?"

자신을 폴란드 출신 의용군이라 소개한 그는 자신이 케니를 아는지, 안다면 케니가 누군지 생각해 내려 얼굴을 찌푸리며 묻는다. 러시아 용병들에게 포로로 잡혔다는 이야기에 표정은 더더욱 난처해 진다. 사실상 정규군이 아닌 의용군이기에 누가 포로로 잡히고 누가 전사했는지, 또 포로 교환을 통해 돌아오는 자들은 누군지 등이 정확하게 기록되지 않고 있는 것 같다.

그 때 마침 한 건장한 흑발의 청년이 지친 얼굴로 막사 안으로 들어온다. 나를 보고 깜짝 놀라 폴란드인 동료에게 표정으로 '누구셔?'라 말없이 묻는다. 후자가 전자를 보고 얼굴이 밝아지는 걸 보니 드디어 미친 여자를 상대해야 하는 부담에서 벗어나 전쟁이 바쁘다는 핑계로 이 자리를 벗어날 수 있어서 아니면 그 흑발이 케니에 대해 뭔가 알고 있어서 이다. 금발이 흑발에게 뭔가 설명하려 할 때 내가 선수를 친다.

"케니를 찾아왔어요. 켄우드 브로튼."
"케니? 아..켄우드!"
"그 친구 절대 자기를 케니라고 부르지 못하게 했을 텐데요.. 켄 아니면 켄우드지"

흑발은 그렇게 말하고 잠시 생각에 빠졌다가 그의 입을 뚫어지게 바라보고 있는 내 시선을 느꼈는지 계속 이야기한다.

"유감이지만 케니는 3년 전에 칸다하르에서 실종되었어요. 아니 주.. 죽었습니다."

흑발은 굳이 내 설명을 들을 필요도 없이 내가 얼마나 먼 길을 왔는지 아는 듯하다. 그런 사람에게 여지를 준다는 건 할 짓이 못된다는 것도. 뭐 내가 케니가 아프간의 어느 산 속에 탈레반을 피해 숨어서 주기적인 금전적 요구와 함께 자신의 트라우마, 결혼생활의 갈등, 그 모든 걸 나한테 말해왔다고 믿을 만큼 어리석거나 미치지는 않았다고 설명해 볼까도 생각해 보지만 그 무슨 소용인가? 난 허리 굽혀 두 손에 얼굴을 파묻고 만다. 매니한테 의지해 내 전 재산을 등에 지고 오로지 그를 보겠다는 일념으로 아무 곳도 아닌 이 곳까지 왔건만.. 오는 길에도 나자신에게 수백 수천 번 이게 대체 될 일이냐고 묻고 또 대답했건만.

흑발은 안절부절 어찌해야 할 바를 모른다. "조..좀 앉으시죠." 그는 나를 일으켜 구석에 있는 흙투성이 의자를 하나 권하고, 자기는 그 옆 책상 위에 앉는다.
"케니는 어떤 사람이었나요?"
"네?"
"와이오밍 출신이고 아내와 딸이 있었나요?"
"아..제가 아는 케니, 아니 켄우드는 뉴욕 브롱크스 출신의 싱글이고 골치 덩어리였어요. 마약 중독에, 군수물자 횡령에, 민간인 대상 오발사고에… 사실 고인을 놓고 이렇게 말하는 건 실례지만 적이 아닌 아군의 총에 맞아도 싼 인간이었죠."

더욱이 내가 처음이 아니란다.

"페이스북이나 인터넷에서 만났다며 아프간 기지로 찾아온 여자들도 있었구요. 하지만 이번엔 켄, 아니 케니의 잘못이 아닌 모양이네요. 도움이 되지 못해 유감이에요. 잠시 휴식하시다가 빨리 돌아가세요. 우크라이나를 빨리 떠나세요. 제가 에스코트를.."

'꽈과광!'

같은 시각, P 시

동만이 사라진지 일주일. 미영은 실장을 독대하고 있었다.

“실장님, 한가지 여쭤봐도 될까요?”
“동만 쌤과 관련된 질문일까요?” 이미 미영의 마음을 꿰뚫어보고 있는 듯 실장은 물었다.
“네, 왠지…”
“왠지… 뭐죠?”
“동만선생님을 찾고 있다기 보다는 쫓고 있다는 느낌이 들기 시작해서요.”
“흐음”
“보안실에서 선생님과 관련된 모든 서류와 전자 파일 자료를 가져가더니 며칠전부터 하루에 한 시간씩 이상한 질문들을 해대는데요.”
“어떤 질문들 말이죠?” 실장은 놀란 기색이 전혀 없었고 미영은 자신의 의심이 옳았다고 생각하며 이야기를 이어갔다.
“최근 선생님의 언행에서 이상한 점은 없었는지, 특히 어디론가 떠날 거라는 또 거기가 어디라는 힌트는 없었는지. 이상한 심부름을 시키지는 않던지. 환자들한테 묘한 이야기를 듣거나 하진 않았는지…이를테면 돈을 빌려달라고 하더라든지… 심동만 선생님이 갑자기 떠난 게 아니라 뭔가 잘못을 저지르고 도망간 게 아닌가 하는 생각이 드는 질문들이었어요.”

"미영 쌤은 답을 알고 있었나요?" 실장이 묻자 미영은 부드럽게 고개를 저었다.
"아니요. 그게 참 삼년간 심 선생님 수련생이었는데 좀처럼 개인사를 이야기하지 않으시는 분이긴 했지만 제가 그 분에 대해 아는 게 거의 없더라구요. 더욱이 임상심리전문가가 되겠다는 사람이.."

고개를 끄덕거리던 실장이 해준 이야기에 미영은 손으로 입을 막았다.

"사실 3 개월전부터 동만 쌤에 대한 병원의 내사가 시작되었었어요. 그 당시 한 익명의 제보가 들어왔는데 쌤이 무자격자라는거에요. 사실은 동만 쌤이 일했던 10 년동안 적지 않은 문제제기들이 있긴 했는데 이유는 알 수 없지만 그냥 잘 지나갔던 것 같아요. 그 중 한두 건은 내가 부임 후 직접 막아준 경우도 있구요. 컴플레인의 주된 이유가 쌤의 무드스윙(Mood swing)으로 동료들이나 환자들과 언쟁을 벌인 정도여서 경고 이상의 징계를 하기도 어려웠어요. 근데 동만 쌤과 이야기를 해보면 해 볼수록 점점 이상한 생각이 들긴 했어요."
"이를테면 어떤..?" 물으면서도 미영은 실장의 대답을 대충 짐작은 했다.
"한마디로 이 분이 실제 법적인 요건을 갖춘 임상심리상담사가 맞느냐는 의심이죠. 우리 병원에서만 10 년을 보낸 분이고 수없이 많은 환자들과 경험이 있기에 그럴듯하게 말은 잘하는데 임상심리는 고사하고 심리학의 아주 기초에 해당하는 지식조차 없는 것 같다는 느낌이었어요.”

미영이 그렇다면 왜 좀더 깊이 조사를 해보지 않았느냐고 물으려 생각했을 때 실장은 그 생각을 읽었다는 듯 계속해서 말했다.

“내가 부임한 게 3년전. 미영 쌤도 나랑 같이 들어왔잖아. 근데 상담사실 최고참이 진짜가 맞는지 확인하는 일을 벌인다는 게… 또 동만 쌤 들어올 당시 도장을 찍었던 부원장님이 지금 원장님이시라 부담스럽기도 했고 무엇보다 쌤을 좋아하는 단골 환자들도 많고, 그들의 로열티도 꽤 높은 편이었어요. 근데…”
“그런데요?!”
“동만 쌤이 잠적을 시작하기 전날 병원으로 소장(訴狀)이 날라왔어요.”
“소장이요?”
“그러니까 그 단골환자 중에 열흘 전 쯤 돌아가신 할머니가 한 분 계셨는데 그 유족들이 소송을 제기한 거에요.동만 쌤이 자기 어머니를 가스라이팅해서 유산을 가로챘다고.”
“네에?”
“그 할머니 P시에서 제일 큰 J시장에서 가장 큰 식당을 하시던 분인데 전 재산을 동만 쌤에게 물려줬다고 하더라고.”

미영은 입을 다물 수가 없었다. 편 여사. 3년간 매주 수요일 아침 첫 시간에 오던 환자였고 동만이 휴가도 그녀와의 약속을 피해 잡던 기억이 났기 때문이었다. 할머니는 화병 치료를 위해 당시 S병원에 출근하기 시작한 지 얼마되지 않는 동만과 인연을 맺었다고 했다. 심리분석을 해보면 할머니는 특별한 병증을 진단할 수 없는, 그러니까 정신적으로 큰 문제가 없는 사람이었는데, 동만은 극구 그녀에게 도움이 필요함을 강변했다. 간혹 미영이 드나들며 두 사람의 상담내용을 조각조각 들어보면 동만이 제공하는 것은 심리치료가 아니라 인생상담 내지는 소소한 잡담에 가깝다는 인상이었다.

"그래서 병원에서 외부 전문가까지 초빙해서 조사하고 있는데…"

심동만이라는 인물이 실존했고 임상심리전문가 자격증을 취득한 사람이란 것도 맞다고 했다. 하지만 가족도 없이 외톨이인 이 사람이 십년 전 갑자기 사라졌을 때, 그 누구도 실종신고 등 찾으려는 노력을 하지 않았던 모양이었다.

"더욱이 실제 심동만씨는 남자에요." 실장은 황당해서 약간 우습기까지 한 모양이었다.

동만은 대체 누구이며 어디에 있는 걸까?

같은 시각, 바흐무트

정체를 알 수 없는 굉음과 함께 토굴의 바닥과 벽이 미친 듯 흔들리고, 군인들이 총을 고쳐 잡으며 사방으로 흩어지는 모습을 마지막으로 난 정신을 잃었던 것 같다. 입 안에 흙과 피와 혼란과 절망의 맛이 느껴진다. 날 기절 시켰던 게 러시아군의 포격 만은 아니었던 것 같고 탈진과, 무엇보다 부끄러움 때문이었던 건 아닐까? 매니랑 이야기 나눌 수 있으면 좋겠다. 아마 다시 그녀를 소환하긴 어렵겠지? 매니는 케니를 전제로 존재하니까.. 실체조차 없었던 케니의 부재 앞에서 난 허망함을 느낀다.

코 끝에서 갑자기 향긋한 냄새가 난다. 난 내가 드디어 미치거나 황당해서 이미 죽은 게 아닐까 생각해 본다. 하지만 온 관절과 내장에 뭉툭하게 통증이 느껴지는 걸 보니, 그리고 그 속에서 젖은 가죽, 아몬드, 초콜릿이 섞인 냄새가 나는 걸 보니 분명 난 살아있고 내 앞에 있는 건 커피가 틀림없다!

“정신이 좀 드시오? 현 지점에서 100 미터 떨어진 곳에 러시아군의 포탄이 떨어졌다니 당신이 이걸 마시는 대로 우린 이 곳을 떠나야 하오.”

젖은 가죽, 아몬드, 초콜릿을 제외한 다른 모든 냄새의 근원인 듯한 초로의 군인이 연민 어린 눈으로 날 바라보며 자신의 오른 손에 든 컵을 받으라고 내 얼굴 앞으로 들이민다. 어라, 아까 두번째 검문소를 지키다가 나를 안내했던 사람 아닌가? 그리고 그걸 받은 난 주위를 둘러본다. 아무도 없다.

“반은 사망자와 부상자를 수습하러, 나머지 반은 싸우러 나갔소.”

아까는 뒷모습을 쫓느라 바빴는데 이제 좀 정신차리고 어떻게 생겼는지 앞모습을 본다. 짙은 카키색 군복 위에 방탄조끼를 입은 그는 의용군이라기 보다 중동 테러리스트에 더 가까운 외모이다. 숱 많은, 목을 다 가리고 남아 가슴 쪽으로 내려오는 덥수룩한 수염 위에 약간 긴 듯한 코가 성질 더러워 보일 수 있는 인상을 속알머리가 빈 곱슬머리와 뚜렷한 눈매 속 인정 많아 보이는 눈동자가 잡아준다. 그것도 검은색 안대로 가려진 하나를 제외한 나머지 하나의 눈으로 말이다. 그리고 그의 영어는 더듬거리지만 생각보다 잘 통한다.

“그럼 저를 위해..?”
“후후, 아니오. 그들과 같이 나가봤자 난 걸림돌만 될 뿐이니.”

난 물끄러미 그를 바라본다. 뭐든 말해보라는 듯 그는 눈빛으로 내게 말한다.

"데이팅 앱을 통해 만난 남자친구를 구하러 여기까지 왔어요. 근데 그가 여기 없대요. 3년전에 여기서 수천 킬로 떨어진 곳에서 죽은 사람이라는 거에요. 난 마흔 여덟이에요. 대학도 나왔고 심리적 문제가 있는 사람들을 돕는 게 직업이에요. 거짓말 따위엔 속지 않고 사람들의 마음을 꿰뚫어 봐야 하죠. 근데..호호..이 꼴이군요."

그는 따라 웃진 않으면서도 한층 더 따뜻해 진 눈빛으로 내 이름을 묻는다. 난 미지근해 진 커피를 원샷하고 잠시 고민하다 '매니'라 답하고, 그는 끄덕이며 자신은 '이브라짐'이라 알려준다.

"이브라짐 아부바카로프. 체첸 출신이고 마흔 여섯이오. 20년전에 러시아놈들에게 아내와 세 아이를 모두 잃었소. 그 전쟁이 끝나고 여기저기 떠돌아 다녔소. 잠깐 IS에 가담해 싸우기도 했고..이 지긋지긋한 전장으로 자꾸만 회귀하는 나자신을 이해할 수 없소만.."

난 계속 이야기해 보라고 하고 이브라짐은 그렇지 않아도 남은 이야기가 많은 듯하다.

"낮엔 농사를 짓고 염소도 좀 키웠소. 해가 지면 할 일이 없어 아이들과 별을 보며 노래를 부르곤 했소. 종종 가족들이 잠든 후에 혼자 잠을 깨는 일이 있었는데 그럴 때는 조용히 현관문을 열고 밖으로 나와 집 앞에 앉아.."

"어둠을 바라봤겠군요. 그 어둠은 어제와 오늘, 그제와
어제, 변함없이 똑같았을 거고.."

이브라짐은 약간 의외라는 표정이었다가 뭔가 재미있어
하는 표정이다. 방금 전보다는 멀지만 여전히 가까운
거리에서 포탄이 떨어지는 소리가 나고 난 흠칫 놀란다.

"안되겠소. 매니, 자리를 옮겨 좀더 이야기하지 않겠소?"
"좋아요."

그는 나를 일으켜 세우고 몸에 묻은 흙을 대충 털어준 뒤
움직이기 시작한다. 난 아까처럼 그의 등을 보며 아직 힘이
잘 들어가지 않는 다리로 발걸음을 디뎌본다. 왼손을 등뒤로
뻗어 배낭도 만져본다. 잘 있다. 오른손은? 어느새 뒤로
뻗어진 그의 왼손을 잡고 있다.

근데 그의 말이 왜 하오체로 해석되어 들리는 거지?

트럼프 죽이기

발 행 | 2023년 12월 5일
저 자 | Yogi (요기) Huh (yogihuh@naver.com)
편 집 | Heepub (희펍)
펴낸이 | 한건희
펴낸곳 | 주식회사 부크크
출판사등록 | 2014.07.15.(제 2014-16 호)
주 소 | 서울특별시 금천구 가산디지털 1 로 119
SK 트윈타워 A 동 305 호
전 화 | 1670-8316
이메일 | info@bookk.co.kr

ISBN | 979-11-410-5704-6
www.bookk.co.kr